Université du Québec à Montréal

Case postale 8888, succursale Centre-Ville
Montréal (Québec) Canada
H3C 3P8

15 décembre 1995

Monsieur Hugues Desrosiers
25, avenue de la citadelle
5100 Jambes
BELGIQUE

Monsieur,

Les actes du colloque *La place publique dans la ville contemporaine* étant publiés, c'est avec plaisir que nous vous envoyons ci-joint un exemplaire.

Nous vous remercions de votre participation au colloque, événement qui a été fort apprécié à Montréal.

Recevez, Monsieur, nos salutations les meilleures.

France Vanlaethem
Professeur
Département de design

FV/jc

Pièce jointe : 1

La PLACE PUBLIQUE

dans

la ville

contemporaine

La PLACE PUBLIQUE

Actes du colloque

organisé à l'occasion du

350ᵉ anniversaire

de la ville de Montréal

par l'Association Française

d'Action Artistique (AFAA) -

Ministère des

Affaires Étrangères, Paris

dans

la ville

contemporaine

avec la collaboration du

Département de design de

l'Université du Québec à Montréal,

les 25 et 26 septembre 1992

à l'Agora de la danse, à Montréal.

Méridien

Directrice de la publication : France Vanlaethem / Coordonnatrice de la publication :
Martine Demers / Secrétaire de rédaction : Jean-Pierre Chupin / Assistante à la rédac-
tion : Maryse Leduc / Réviseure : Nicole Larivée-Parenteau / Designer-graphiste :
Danielle Gingras

Les actes du Colloque sont publiés grâce à des subventions obtenues du ministère
de la Culture et des Communications, gouvernement du Québec, et de la Ville de
Montréal, dans le cadre de l'Entente sur la mise en valeur du Vieux-Montréal et du
patrimoine montréalais, ainsi que de l'Association Française d'Action Artistique (AFAA) –
Ministère des Affaires Étrangères, Paris, et du vice-rectorat aux Communications de
l'Université du Québec à Montréal.

Ville de Montréal

Gouvernement du Québec
**Ministère de la Culture
et des Communications**

Les Éditions du Méridien bénéficient du soutien
financier du Conseil des arts du Canada pour son
programme de publication.

ISBN 2-89415-121-7

Dépôt légal-
Bibliothèque nationale du Québec, 1995

Imprimé au Canada

Remerciements

L'Association Française d'Action Artistique (AFAA) – Ministère des Affaires Étrangères s'était associée à l'Université du Québec à Montréal pour organiser l'ensemble des événements qui devaient entourer la contribution de la France au 350e anniversaire de Montréal. Parmi ceux-ci, s'est tenu un colloque dont la présente publication constitue les actes. En regard de la production de ce document, il faut d'abord remercier les organismes qui ont permis de rassembler les ressources humaines et financières indispensables à sa réalisation: la Ville de Montréal et le ministère de la Culture et des Communications du gouvernement du Québec, associés dans le cadre de l'Entente sur la mise en valeur du Vieux-Montréal et du patrimoine montréalais, ainsi que l'AFAA et le vice-rectorat aux Communications de l'Université du Québec à Montréal. Ensuite, il faut rappeler que la rencontre, organisée à l'Agora de la danse de l'UQAM, avait bénéficié du soutien de la Délégation aux arts plastiques du ministère de l'Éducation nationale et de la Culture, de la Direction de l'Architecture du ministère de l'Équipement, du Logement et des Transports de France ainsi que des sociétés Lafarge Canada Inc. et Lafarge Coppée de France. Cette rencontre a connu un vif succès auprès d'un public spécialisé grâce à la participation des vingt conférenciers, certains venus spécialement de France et d'autres originaires du Québec. Lors de l'élaboration du programme, nous avons été secondés par un comité-conseil formé de représentants de la Ville de Montréal, du ministère des Affaires culturelles – maintenant appelé le ministère de la Culture et des Communications –, du Consulat de France à Montréal ainsi que de professeurs de l'Université de Montréal et de l'Université du Québec à Montréal. De plus, afin de rendre le milieu montréalais réceptif à cet événement, nous avons profité de la complicité de personnes dont les noms apparaissent dans le cahier-programme et qui se sont révélées des intervenants intéressés et intéressants. Étant donné que ce document n'est pas le compte rendu intégral du colloque, les communications formelles ayant été favorisées aux dépens des présentations de circonstance, les noms de tous les conférenciers n'apparaissent pas dans ces pages, même s'ils étaient les représentants d'organisations sans lesquelles la rencontre n'aurait pu avoir lieu. À ce titre, il faut notamment citer les orateurs des discours d'ouverture : M. Romaric Sulger-Buel, chargé de mission auprès du directeur de l'AFAA, qui a piloté l'ensemble de la contribution de la France au 350e anniversaire de Montréal et coprésidé toutes les séances du colloque; M. André Lavallée, à l'époque membre du comité exécutif de la Ville de Montréal, responsable des dossiers d'aménagement et de développement urbains, qui représentait le maire Doré de Montréal; de l'UQAM Mme Florence Junca-Adenot, vice-rectrice à l'Administration et aux Finances et le professeur Jean-Pierre Hardenne, alors directeur du Département de design. Doit être, par ailleurs, remerciée toute l'équipe de l'AFAA venue seconder celle de l'UQAM et, tout particulièrement, M. Yves Nacher, commissaire de la contribution de la France, chargé par l'AFAA d'organiser le colloque ainsi que l'exposition *350, place d'Youville*, une collaboration qui fut des plus réussie et dont ces actes sont le dernier témoin.

Publier un tel ouvrage est toujours une aventure laborieuse. Martine Demers, la coordonnatrice du colloque, s'est chargée de rassembler les divers documents nécessaires à sa production. Mon collègue, Jean-Pierre Chupin, a rédigé les conférences des invités français dont les textes ont été retranscrits par Maryse Leduc, alors étudiante en design de l'environnement, tandis que Nicole Larivée-Parenteau a effectué les révisions linguistiques nécessaires. Finalement, la mise en forme a été conçue par une jeune designer-graphiste formée à l'UQAM, Danielle Gingras.

Directrice de la publication,
France Vanlaethem

TABLE DES MATIÈRES

**LA FORME
DE L'ESPACE PUBLIC :
morphologie
et référents**

3

AVANT-PROPOS

France Vanlaethem

L'année 1992 marquait le 350ᵉ anniversaire de la fondation
de la ville de Montréal qui se confond avec l'établissement
d'un petit groupe de colons venus de France sur la Pointe-à-
Callière, au confluent du majestueux Saint-Laurent et de
l'étroite rivière Saint-Pierre, dont le lit comblé trace aujourd'hui
les contours d'une place nommée d'Youville. Pour commémorer
cet événement, la France a offert à la grande cité-sœur
d'Amérique du Nord un cadeau peu commun, une consultation
d'architecture lancée auprès de cinq de ses créateurs les
plus talentueux afin d'imaginer des projets d'aménagement urbain pour ce lieu fondateur banalisé par sa vocation
simplement viaire, si ce ne sont des deux équipements
muséologiques voués à son histoire qui l'occupent. Outre
l'exposition publique des résultats au Centre de design de
l'UQAM et leur publication sous la forme d'un catalogue intitulé
350, place d'Youville – Cinq créateurs français à Montréal
(Paris, AFAA, 1992), cette épreuve a servi de prétexte à la
tenue d'un colloque sur le thème de la place publique dans
la ville contemporaine. On abordait là un sujet d'une grande
actualité, en France comme au Québec, l'espace urbain étant
l'objet d'une attention renouvelée de la part des autorités,
qu'elles fussent centrales ou locales. Afin de redonner qualité
et sens à la ville, des politiques de design urbain et d'art public
ont été mises en œuvre à différents paliers de gouvernement
et des projets d'aménagement de rues et de places mis à
l'étude, voire en chantier, à Montréal, sous l'administration
du maire Doré, comme dans de nombreuses municipalités
françaises.

Présenter des projets d'aménagement urbain, qu'ils aient
été conçus par des architectes et/ou qu'ils soient dus à
l'imagination d'artistes, confronter des points de vue différents
induits non seulement par des horizons culturels contrastés,

13

mais encore par des ancrages professionnels spécifiques, contribuer à la réflexion portant sur la forme, le rôle et le statut de la place publique dans la ville contemporaine, tels étaient les buts principaux de la rencontre qui a rassemblé deux jours durant plus de 200 personnes. Organisé en trois séances successives, le colloque a invité les conférenciers à aborder l'un des trois ordres de question suivants : celui des fonctions de la place publique, de ses usages et de ses représentations; celui de la production sociale de l'espace public, des acteurs et des processus qu'elle met en jeu; et, finalement, celui de sa morphologie et de ses référents culturels. Les actes restituent l'ensemble des communications livrées selon une séquence qui, mis à part quelques ajustements motivés par l'équilibre de la publication, reprend le déroulement de la rencontre.

Le sort qui a été fait à la place d'Youville est exemplaire de la fonction technique à laquelle ont été réduites les rues et les places dans la ville transformée par l'urbanisme moderne. Ancienne place de marché à proximité immédiate du port, elle est aujourd'hui un stationnement pour les habitants et les autres utilisateurs du Vieux-Montréal, travailleurs et touristes. Cependant, depuis quelques années, la requalification de tels espaces concentre l'attention des responsables et des spécialistes. Mais quelle est leur vocation réelle dans des sociétés dominées par les moyens de communication de masse et où l'individu prévaut sur le collectif? Configurés par le bâti, investis par l'art ou encore implantés avec soin, sinon créativité, les espaces urbains ouverts sont-ils encore de véritables lieux de convivialité et de signification commune? Ou sont-ils avant tout un levier du développement urbain, voire des pauses esthétiques dans une ville dont il est de plus en plus difficile de contrôler la transformation du bâti? Telle était une première série de questions que les organisateurs du colloque adressaient aux conférenciers invités et aux participants dans le programme de la rencontre. Pour y répondre, avaient été sollicités des intellectuels et des praticiens, qu'il est peu utile de présenter ici, leurs qualités étant précisées et leurs contributions reproduites ainsi que synthétisées au sein des discours de clôture. Utile, par contre, peut être un rappel des moments forts des débats que le thème et les exposés ont suscités parmi l'audience et qui ne sont pas rapportés dans les actes, sinon indirectement. Ces échanges, comme d'ailleurs nombre des communications, ont certes plus ouvert des interrogations multiples qu'apporté des réponses claires et définitives. Plutôt que la réalité matérielle, permanente de l'intervention artistique dans la ville, c'est sa dimension temporelle qui a été mise en question, dans sa relation aux cycles naturels des saisons, si contrastées sous notre latitude, ainsi que dans son rapport à la mémoire des habitants. La valeur des œuvres éphémères, par opposition à celle des interventions pérennes, a été soulignée, que ce soit pour leur portée disciplinaire, expérimentale et théorique, ou pour leur impact sur les représentations que les citoyens associent aux lieux publics. Initiatives d'artistes ou, trop rarement, productions liées à des commandes officielles, ces œuvres demandent une préparation dont la complexité n'est pas toujours proportionnelle à la brièveté de leur inscription spatiale, l'intervention dans l'espace public impliquant la mise en jeu de pouvoirs multiples et souvent opposés.

À Montréal, depuis de nombreuses années, l'aménagement des espaces publics était pris en charge par les services municipaux responsables. Depuis la consultation pour le Champ-de-Mars, à la limite nord-est de la vieille ville, et le concours international pour la place Jacques-Cartier qui en constitue le cœur vivant, mais encore le projet pour la place Berri dans le faubourg Saint-Laurent, l'administration a fait appel à des intervenants extérieurs, dont certains étaient des conférenciers invités au colloque. Par ailleurs, elle a mis en place un programme d'art public, qui fut exposé, tout comme les politiques provinciales en cette matière et la réglementation municipale concernant l'aménagement urbain. Néanmoins, le recul critique face à ces initiatives qui remontent pour la plupart au début des années 1990 étant limité par la distance temporelle qui nous en séparait, il était intéressant pour élargir la discussion de comparer entre elles, expériences québécoises et françaises, cette fois, au plan des processus de décision. Lors de cette deuxième session, les échanges furent vifs au sein de l'audience où se retrouvaient des représentants des diverses instances associées aux projets d'aménagement urbain ou d'intégration des arts, élus, professionnels et créateurs, des débats attisés par les déceptions récentes de certains d'entre eux. L'intervention décriée de la place Roy à Montréal ne manqua pas de refaire surface, de même que les résultats pas toujours heureux des programmes du 1%, que ce soit en France ou au Québec. On insista sur l'importance cruciale de la volonté politique dans le soutien à la création et la nécessité d'établir des rapports non pas d'autorité, mais de collaboration entre architectes et artistes, lorsque ceux-ci ont à travailler ensemble. Cette cohabitation pourtant courante fut néanmoins mise en question, certains notant la concurrence entre ces deux types d'intervention, alors que d'autres insistaient sur leurs différences fondamentales. Fut encore dénoncé le pouvoir parfois démesuré des fonctionnaires qui, plutôt que de contrôler les créateurs, devraient les accompagner, voire les soutenir dans leur démarche, afin de préserver la force et l'intégrité de l'œuvre, valeurs essentielles dans la réussite des projets. Lors de la dernière séance, la parole était donnée uniquement à des créateurs, dont les positions idéologiques et formelles divergentes de certains sont de notoriété publique.

À Montréal, depuis quelques années, dans les milieux soucieux de la valeur culturelle de l'espace urbain, la production du sens prévaut sur la recherche de l'efficacité; la mémoire, sinon la nostalgie ont pris la place de la prospective. Cette orientation dominante se comprend mieux resituée par rapport aux grandes étapes de l'histoire urbaine moderne de la cité qui peut être résumée par ses grands moments : au début du siècle dernier, Montréal, métropole canadienne riche et dynamique, était une ville classique, dense et cohérente; ville moderne internationale dont la rénovation cristallisait les énergies quand la société était profondément transformée par la Révolution tranquille, dans les années 1950 et 1960; aujourd'hui, premier centre urbain du Québec dont le développement n'est pas sans poser problème alors que l'économie est en voie de restructuration à l'échelle mondiale. Les organisateurs, par conférenciers interposés, voulaient explorer d'autres voies de recherche possibles. C'est ce que proposaient aussi les résultats de la consultation publique sur l'aménagement de la place d'Youville lancée auprès des cinq créateurs français choisis par l'AFAA: l'artiste Jean-Marc Bustamante, les architectes Jacques Hondelatte, Dominique Perrault et Roche & François, le designer Philippe Starck, qui avaient été invités par ailleurs à titre de conférenciers dans le cadre du colloque. Certes, comme dans toute épreuve de ce genre, un lauréat fut désigné par un jury qui préféra le projet des concurrents les plus jeunes, les architectes Roche & François. Cette distinction est restée un prix d'honneur puisque les autorités concernées n'ont pas donné de suites concrètes à cette aventure qui mobilisa, quelques mois durant, des énergies créatives et organisationnelles de part et d'autre de l'Atlantique. Aussi ces actes constituent un témoignage nécessaire à la poursuite de la réflexion, voire de l'action au-delà de l'événement.

LES FONCTIONS

DE LA PLACE PUBLIQUE

usages

1 et représentations

INTRODUCTION

Hugues Desrosiers, Montréal

LA PLACE PUBLIQUE DANS LA VILLE CONTEMPORAINE

Nous sommes tous conscients de l'évolution de la ville métropolitaine qui se ramifie sur sa région en même temps que la typologie de ses espaces se modifie. Ainsi, nous passons d'une configuration nette de l'espace public à un éclatement total de sa forme, d'un usage strictement différencié au chevauchement des appropriations. Ce phénomène nous oblige à reconsidérer les définitions de ce qui est public en regard de ce qui est privé, voire à nous préoccuper de la signification du mot «place».

Dans cette ville, nous utilisons familièrement les nouvelles infrastructures d'usage public dont le nombre augmente, complexifie et diversifie le réseau des lieux publics. Ces nouveaux espaces de galeries marchandes, du métro et de leurs interconnections se combinent aux carrefours des rues, aux anciennes places du XIXe siècle, aux halls des gares et des autres grands équipements publics. Sont-ils tous à véritablement parler des espaces publics au plein sens du terme? La spécialisation de l'espace accompagnant et provoquant l'expansion démesurée du territoire urbain a généré des déplacements massifs et quotidiens entre les quartiers dortoirs et le centre hyper-spécialisé des bureaux, l'adoption de modes mécanisés de transports de masse, d'autres manières de fréquenter l'espace public, d'autres manières de le concevoir.

Les places publiques ne servent plus au négoce, à l'artisanat, au marché, non plus qu'à montrer au peuple ouvrier les conditions de vie idéales des classes aisées. Ne seraient-elles plus vouées maintenant qu'à la représentation du loisir urbain ou à la contemplation esthétique? Ne seraient-elles pas encore de toute manière des instruments exemplaires du modèle de vie souhaité par les dirigeants et les promoteurs

21

immobiliers, ou seraient-elles dérivées des besoins réels d'un contexte socioculturel identifiable?

Sous nos latitudes, le climat ajoute aux contraintes, l'espace public urbain ne connaissant plus en hiver qu'un usage strictement utilitaire, à l'exception des grands parcs où la nature réussit à s'imposer. L'été ramène sa fête, ses festivals en série, ses épreuves sportives qui rythment désormais la saison des citadins et envahissent les places publiques du centre-ville et des divers quartiers auxquels s'identifient les communautés culturelles urbaines.

À ce tableau se superpose la dimension très particulière de la ville ancienne, de son image et des nouvelles vocations de ses espaces. Débordant la définition stricte du Vieux-Montréal, les quartiers anciens du centre-ville illustrent largement la nécessité de leur réinvestissement et de leur repeuplement. Il est déjà nécessaire d'y réhabiliter et d'y aménager des espaces publics. Doivent-ils constituer des vitrines urbaines ou des préfigurations du projet de redéveloppement anticipé? Pour qui les aménager? Difficile à dire. Dès lors, comment peut-on procéder? Si nous sommes à la recherche de l'expression de nos aspirations autant que de notre réalité actuelle, quel rapport doit-on entretenir avec la mémoire et l'inventaire, comme le disait Dan Hanganu dans sa réflexion sur la Pointe-à-Callière? Se pourrait-il que les villes connaissent des états successifs complètement détachés d'une mémoire que leurs habitants auraient perdue, malgré leur ressemblance à leurs ancêtres?

C O N S T A T S

Perla Korosec-Serfaty, Montréal

VARIATIONS SUR LE CÔTOIEMENT ET LA DISTANCE : PLACES PUBLIQUES MONTRÉALAISES

Dans la redoutable tâche qui m'est assignée aujourd'hui, je prendrai comme point de repère les termes clés contenus dans le thème de cette rencontre. Il m'est en effet demandé de faire des constats, dans le but d'aider à faire la lumière sur les vocations des places dans le Montréal contemporain. Cette interrogation découle d'une autre question, qui est elle-même une interprétation des rôles et du sens des places d'autrefois, et qui est ainsi formulée : les espaces ouverts urbains sont-ils encore de véritables lieux de convivialité et de signification commune?

Pour tenter d'accomplir cette tâche dans le cadre qui m'est donné, je solliciterai de votre part une collaboration particulière, que j'appellerai la suspension du jugement, au sens d'énonciation de condamnations ou d'absolutions. Car Montréal est autant un attachement, un mythe et sa célébration tout autant qu'une ville physique. Qui d'entre nous, en effet, se sent détaché lorsqu'il traverse ces places naissantes ou renaissantes telles la place Roy, la place Berri (nommée Émilie-Gamelin), la place des Amériques ou le Champ-de-Mars? Qui ne ressent quelque émotion particulière à la pensée de ce qu'il est advenu de places autrefois cohérentes et vivantes, comme la place Saint-Henri ou le square Victoria?

La méthode qui doit soutenir un constat oblige cependant à retenir un doigt accusateur, des applaudissements ou des bilans esthétiques. Aussi, et quoique j'en pense en ces matières, je vous parlerai des places de Montréal comme elles apparaissent à ma compréhension des enjeux de l'expérience urbaine et de la sociabilité publique.

Parce que le temps presse, je tenterai brièvement d'enrichir, de gauchir et de nuancer l'hypothèse selon

23

laquelle les places publiques étaient, historiquement, des lieux de convivialité dotés d'une signification commune.

À l'origine, Montréal, comme nombre d'autres villes d'Amérique du Nord et d'Europe à des époques semblables, se dote de places qui ont pour qualité principale de servir d'écrin à tous les gestes qui concrétisent les lois et les coutumes. Ces derniers termes s'associent, de manière naturelle, à l'autorité, la règle commune, d'une part, et aux manières de faire ordinaires des gens, d'autre part. Deux sagesses, donc, qui coexistent nécessairement dans un jeu incessant de dynamisation mutuelle, et surtout, de conflits.

La loi se manifeste non seulement dans les opérations de police de toute société, mais aussi dans ses édifices. Ainsi, la maison du Parlement est bâtie un temps sur la place d'Youville, le palais de justice à proximité immédiate de la place Jacques-Cartier, l'hôtel de ville sur la place Vauquelin. Par ailleurs, de la loi écrite civile et officielle, on passe à l'autorité religieuse et à celle de l'argent, selon des associations «objectives» qui ont été bien observées ailleurs. C'est pourquoi on trouve l'église Notre-Dame sur la place d'Armes mais aussi, par exemple, l'édifice de la Banque de Montréal. De la même façon, on trouve, sur la place du Canada, la cathédrale Marie-Reine-du-Monde, mais aussi le gratte-ciel de la société d'assurances SunLife, etc...

Dans ce contexte, de manière remarquable, les édifices prestigieux commandent la place sur le modèle des places des débuts de la Renaissance, parce que la loi et l'autorité sont les éléments unificateurs d'une société qui est, par ailleurs, fortement marquée par des clivages profonds et longtemps apparemment immuables : disparité de classes, immenses écarts de fortune, innombrables exclusions sociales.

Dans les places s'ancre la loi, non seulement sous la forme du contrôle des mouvements des hommes et des marchandises, mais aussi sous celle des sanctions, qui se déroulent souvent en public, et sous la forme des fêtes et célébrations collectives, dont il est important de rappeler le caractère obligatoire. Ces événements nombreux et hautement ritualisés consacrent principalement le pouvoir politique et le pouvoir religieux comme les sources principales d'autorité qui génèrent et font appliquer les modèles de la vie publique, et partant, les dimensions principales du sens des lieux publics.

La coutume se traduit par l'infinie variété des gestes de la vie quotidienne et, principalement, de ceux associés au travail. De l'exercice même de ce travail découlent, d'une part, toutes les formes de sociabilité ludique spontanée, mais aussi, d'autre part, de nombreuses formes d'illégalismes.

Car dans la place, comme d'ailleurs pendant longtemps dans la rue, les actions des citadins sont la traduction d'un contexte très complexe, fait de la vision du monde propre à la classe sociale, à la catégorie d'âge, à la religion, à l'ethnie auxquelles ils appartiennent, mais qui dépend aussi d'un grand nombre de facteurs conjoncturels, tel l'exercice d'un métier, et de facteurs de personnalité. Les usages de la place et de la rue sont le produit d'une dynamique et d'une situation au sens phénoménologique du terme, c'est-à-dire d'un ensemble de facteurs dont l'interaction finit par former la motivation même de l'action.

Ainsi s'observe une dialectique constante entre la coutume qui s'oppose parfois à la loi et parfois force la loi à la reconnaître comme légitime. Les illégalités, les infractions, les marginalismes sont intimement mêlés à l'expression même de la loi dans les lieux publics. Parce que la coutume guide les actions du peuple et entretient des relations difficiles avec la loi, les places publiques reflètent des aménagements qui facilitent la vie du peuple (auvents, étals, fontaines, enseignes), auxquels se superposent des gestes organisateurs de l'espace qui révèlent à la fois un grand souci fonctionnaliste et une forte expression de l'autorité, tels les tracés des accès, la construction de marchés publics, de grandioses douanes ou palais de justice.

Ce fond historique est donc celui d'une société où l'individu est d'emblée membre d'une communauté civile, où les assignations de rôles et la place de chacun sont claires et où les exclusions sociales sont nettement formulées. Tout citadin considéré comme intégré à un groupe socialement légitime a accès aux places publiques pour y conduire les affaires de sa vie quotidienne. L'idée de normes régissant le rôle de chaque citadin aussi bien que les usages de la place et celle de légitimité sociale de l'appartenance à un groupe sont donc les deux idées clés qui sous-tendent celle de «signification commune» des places anciennes.

Mais le citadin est souvent rétif, il entre fréquemment en conflit avec la loi, au point où les illégalités deviennent, selon l'analyse de Michel Foucault, un véritable opérateur de la vie publique, en ce qu'ils sont compris dans la manière même de régir celle-ci. Car la grande majorité des citadins est longtemps pauvre, elle multiplie les manœuvres illégales qui sont souvent indispensables à sa survie au point où ses résistances finissent par donner parfois à la coutume force de loi.

La grande rupture s'opère au XIXe siècle, lorsque l'espace physique des places devient l'objet de tous les soucis, au détriment des formes de la sociabilité publique qui les habitaient. Elles acquièrent un nouveau statut d'espace de sociabilité policée, et leur composition se déploie de manière ordonnée autour du sujet habitant.

Sous l'influence des philosophes, des peintres et des romanciers, des hygiénistes et des grands réformateurs, se développe pendant plus d'un siècle, en Europe comme en Amérique du Nord, une vision négative de l'expérience urbaine traditionnelle, et surtout, de la vivacité et de la dynamique de la vie publique. L'aboutissement progressif de cette vision est la disqualification, vers la fin du XIXe siècle et dans les premières décennies du XXe siècle, de ce qui faisait l'essence même de la vie urbaine publique, c'est-à-dire le mouvement des gens et leurs débats publics.

Parce que l'ordre doit remplacer le désordre, la place devient un paysage, un espace cérémoniel accueillant des activités quotidiennes singulièrement appauvries qui s'ajoutent à des fêtes plus rigoureusement organisées. Elle requiert des mises en scène, qui se traduisent par des plantations de jardins entourés de clôture, comme sur la place Royale ou la place d'Armes. Elle émerge aussi comme une des articulations essentielles de développements nouveaux, tout en remplissant des rôles cérémoniels, économiques et symboliques importants, comme c'est le cas du square Phillips.

L'expérience traditionnelle de côtoiement et de dynamique des conflits est ainsi remplacée par une sociabilité de la mise à distance des aspects les plus désordonnés et difficiles de la ville. Une nouvelle sociabilité festive trouve ainsi un cadre original, qui exprime la foi du XIXe siècle finissant dans les vertus des rassemblements stucturés de gens pourtant très divers. C'est aussi une sociabilité de loisirs et de détente qui se déplie dans ces places et, en particulier, dans ces squares qui favorisent des activités plus calmes, tels la promenade, une animation de meilleur aloi, des plaisirs plus individualisés ou en petits groupes comme dans l'ancien square Viger, par exemple.

Montréal a ensuite subi à sa façon les grandes altérations des paysages urbains entraînées par l'usage généralisé de la voiture automobile, les réalisations de l'urbanisme moderniste, ainsi que par son évolution économique et culturelle récente. Alors même qu'elle se dotait de nouvelles formes urbaines et, en particulier, d'un vaste réseau de lieux souterrains accessibles au public, alors qu'elle tentait de donner un sens nouveau à une terminologie historiquement liée à la typologie des espaces publics extérieurs, comme ce fut le cas lors de la construction de la place Ville-Marie, les places publiques anciennes montréalaises payaient un lourd tribut à ces approches nouvelles de la vie publique.

Le cortège des lieux à l'abandon, notamment, jusqu'à une date récente, le Champ-de-Mars et la place Royale, ou transformés en stationnement, comme la place d'Youville, altérés sans bonheur, telle la place du Canada, fragmentés et privés de leur force symbolique, comme la place Saint-Henri, ou chargés de vocations soudaines, tel le square Sir-Georges-Étienne-Cartier, ou encore totalement dénués de leurs rôles pour renaître sous des formes impopulaires, comme c'est le cas du square Viger, tout cela a suscité nombre de dénonciations sur lesquelles nous ne nous attarderons pas.

Comment ce bref survol historique permet-il de réagir à l'hypothèse selon laquelle les places étaient, autrefois et jusqu'à une époque récente, «de véritables lieux de convivialité et de signification commune»? S'il est juste d'attribuer de telles fonctions aux places d'autrefois, il faut souligner que les modes de convivialité s'exerçaient dans les strictes limites du respect des pouvoirs et des hiérarchies sociales. S'il est également juste de parler de leur signification commune, c'est dans la mesure où l'usage collectif de l'espace public était une condition *sine qua non* de la constitution de la cité, c'est-à-dire qu'il allait de soi qu'étaient conduites en public les affaires qui faisaient l'essence même de la ville.

Qu'en est-il aujourd'hui? Comment répondre à la question du sens des places dans la ville contemporaine?

1. À Montréal, la fragmentation et le délaissement de nombreuses places publiques se sont accompagnés d'une survivance vigoureuse de la sociabilité de rue, sociabilité d'échanges commerciaux et de côtoiements, de réappropriations économiques et symboliques de sections de grandes artères comme la rue Saint-Denis, mais aussi de l'évolution de places qui gardent leur forte présence dans la trame urbaine, qui participent de l'image de la ville et de l'appropriation de l'espace urbain, comme c'est le cas du square Cabot, du square Phillips, du carré Saint-Louis, de la place d'Armes ou de la place du Canada.

Ces réappropriations s'inscrivent dans le mouvement général de renouvellement de la vision de la ville qui a marqué les années 1970 et qui se traduit à Montréal depuis la fin des années 1980 par une dynamique nouvelle de restauration ou de création de nombreux lieux de vie publique comme le Vieux-Port, la rue de la Commune, l'avenue McGill College, ou encore la place Berri, la place Roy, la place des Amériques, la place Sun Yat-Sen ou le Champ-de-Mars.

2. La sociabilité montréalaise comporte une forte dimension hédoniste, qui s'exprime dans le partage ritualisé, policé et pourtant festif de temps publics qui sont, à la façon païenne, associés aux saisons. À quelques jours du calendrier près, le festival de jazz marque le solstice d'été, celui des films du monde nous signale que les vacances sont finies, etc.

3. Elle comporte des temps du spectacle qui donnent une visibilité soudaine à des segments particuliers de la population : le défilé de la Saint-Patrick ou de l'indépendance grecque, la

fête du nouvel an chinois, etc. instaurent un jeu de miroirs où les communautés culturelles se donnent à voir à elles-mêmes autant qu'à la société montréalaise tout entière, où elles choisissent la fête pour célébrer à la fois la terre d'accueil et celle des origines sur le mode politique et religieux. Ces investissements symboliques temporaires participent du mouvement d'inscription durable de l'ethnicité dans l'espace public montréalais, et donc d'un projet de société montréalaise que concrétisent, par exemple, la place Sun Yat-Sen, la place des Amériques ou le parc du Portugal.

4. Les places publiques montréalaises sont aussi le lieu d'un exercice sur les usages sociaux de l'histoire, qui se manifeste, en particulier, par la mise en valeur de vestiges archéologiques, comme sur le Champ-de-Mars, ou sous la forme d'un discours gravé sur plaques.

5. Une parole particulière s'instaure ainsi sur la place publique, marquée par un souci didactique et un souci mnémonique, c'est-à-dire un souci de construction identitaire qui se traduit notamment par des jeux ou des spectacles liés autour de l'histoire de la ville et de ses habitants et tenus épisodiquement sur la place d'Armes, la place Royale, le Champ-de-Mars...

Cette parole est aussi fortement marquée par la volonté de fournir aux citoyens la bonne clé du sens du lieu. La place Berri en est un bel exemple : elle n'est pas seulement un endroit public, mais aussi un texte au sens littéral de ce mot, texte gravé et illustré, censé fournir les codes d'accès à sa configuration.

6. Les places de Montréal, comme celles de toute ville jouissant d'un gouvernement démocratique et de la liberté civile, sont des lieux d'appropriations conflictuelles, mineures et quotidiennes, mais aussi épisodiques et plus violentes.

Ainsi s'expriment les conflits sociaux et politiques qui agitent la cité, sous la forme de rassemblements, de chants dénonciateurs, de slogans, d'actes de vandalisme. Ces appropriations forment le noyau de l'urbanité et participent de la construction de la citoyenneté. Elles contribuent à donner leur sens propre à chacune des places montréalaises et font la preuve que ces dernières continuent à être des territoires de parole et de débat public.

7. Enfin, les places montréalaises sont toutes, a des degrés divers et à des rythmes différents, des lieux de sociabilité positive, où les relations entre gens s'exercent simplement, sur un pied d'égalité. Cette convivialité est associée à des images très diverses et toutes légitimes : une foule qui entoure un acteur de rue, des piétons qui se croisent sans plus d'échanges, des vagabonds couchés sur l'herbe, un groupe d'étudiants, etc... C'est la variété même de ces images et l'égalité potentielle entre tous les citoyens, atteinte grâce à cette diversité, qui constituent le noyau de la sociabilité publique et qui fondent le sens contemporain des places montréalaises.

Convivialité? Sens commun? Le délaissement des places de Montréal et leur renaissance ont eu pour vertu de cristalliser une prise de conscience et de démontrer que la citoyenneté s'acquiert et que l'on devient citadin, et donc membre de la société civile, en partageant les espaces publics de la ville.

François Barré, Paris

L'ARTISTE ET LA RÉINVENTION DE L'ESPACE PUBLIC

Mon premier propos concernera la nécessité de sauver l'espace public. J'en parlerai à partir de l'expérience que j'ai de Paris et de l'Europe et d'une manière sans doute moins positive que madame Korosec-Serfaty traitant de l'usage de la place publique à Montréal.

Il me semble que la rue, la place, le parc qui étaient des lieux généralistes par excellence, des lieux de rassemblement, d'échanges et de direction, sont devenus de plus en plus des espaces spécialisés, délocalisés, inscrits dans un flux, dans un échange homogénéisé, circulatoire, marchand, programmé. Je pense notamment à cette accentuation de la spécialisation relative au développement des parcs thématiques ou de ces villes monde temporaires que sont les expositions universelles. À Montréal, il m'a paru que l'une des données de l'usage de l'espace public – et qui caractérise cette ville –, c'est l'existence d'un temps public, d'une coupure de la vie civile entre un temps public et un temps davantage privé. Je pense que le véritable espace public aujourd'hui, et Paul Virilio en a longuement parlé, c'est l'image publique, l'écran de nos téléviseurs : il s'agit de l'espace des voyageurs immobiles que nous sommes tous. Il convient donc de réinventer l'espace public, de «re-territorialiser» la vie communautaire : c'est là, je crois, une de nos premières tâches.

Mon second propos vise à faire l'éloge de l'hétérogène. Nos sociétés ont en effet produit un «zoning» des espaces et des vies qui a mené à la rupture entre le centre et les périphéries, alors que la ville vivante est à l'évidence la ville polycentrique! Une telle séparation, qui fait une sorte de distinction taxinomique des vies, des êtres, des activités et les conduit à être imputés à des espaces, peut donner lieu à une

33

vision, une conception réductrice de la ville. Il me semble que dans la politique de la ville telle qu'elle est énoncée en France, où, par exemple, sont mis de l'avant ce qu'on appelle les «quatre cents points noirs», la politique est limitée à une pathologie de la ville. Il faut retrouver l'unité dans la diversité, et non le lissage des ghettos, des lieux monofonctionnels, des lieux sans mémoire, et donc sans projet, ou, à l'inverse, des espaces étouffés par la mémoire. Je mentionne des choses tout à fait banales, mais elles relèvent de problèmes qui se posent quotidiennement à nous. Il conviendrait de trouver dans l'espace urbain, dans l'espace du partage, une diversité des populations, mais aussi une diversité des activités, la présence d'une mémoire, la différenciation des traitements et des expressions.

Le centre historique dans lequel la ville analogue est historicisée et unifiée et le «taguage» généralisé relèvent, me semble-t-il, d'une même démarche d'indifférenciation du territoire. Pour les uns, cela s'opère à partir d'un centre historique, pour les autres, cela vient d'une périphérie oubliée. Cela signifie aussi qu'il nous faut intégrer du projet, c'est-à-dire de la modernité, le sens de l'époque et de ses écritures. Rien de plus caricatural et inadmissible que les ghettos des grands ensembles périphériques ou que les «centres-villes-centres-historiques», «piétonnisés», théâtralisés sur le mode de l'opérette, tant ils sont blanchis et muséifiés. Venise, qui a refusé Le Corbusier, Philip Johnson et Louis Kahn, me semble donner l'exemple même d'une ville musée, d'une ville morte. Les cathédrales étaient des effractions : l'unification du même par le même tue la ville et la société. L'unification moderniste ou spectaculaire produit bien sûr les mêmes effets. Lorsque l'autre disparaît de l'image, il ne reste plus que le visuel, le spectacle. Il faut donc lutter contre le consensus, contre ce dernier mythe dont Hannah Arendt disait qu'il marque le passage de la culture aux loisirs qui, à l'instar de la consommation, mangent tout. L'autre doit toujours être présent.

Mon troisième propos portera sur les relations entre art et architecture. Adolf Loos a écrit à ce sujet des choses tout à fait définitives, ce qui n'est pas forcément une garantie de durée, des choses qui me semblent très importantes cependant. Il distinguait radicalement art et architecture. «La maison, écrivait-il, doit plaire à tous à la différence de l'œuvre d'art qui n'a pas besoin de plaire à quiconque». Loos considérait que tout ce qui est au service d'un but doit être exclu du règne de l'art. Cette séparation demande, bien sûr, à être relativisée. On peut cependant garder cette distinction fondamentale : l'art introduit la gratuité. En cela, où qu'il soit, l'art subvertit peu ou prou l'ordre du monde. Si une part importante de l'histoire de l'art est une histoire de la commandite, cette spécificité-là, cette gratuité-là demeure cependant. Mais il est arrivé à l'art ce qui est arrivé à la ville et à ses espaces. Il est aujourd'hui enserré dans un réseau de lieux spécialisés : musées, centres d'art, galeries; il s'échange sur un marché et échappe désormais à la confrontation qui était autrefois sa condition première. Dans les églises, les palais, les maisons bourgeoises, ou dans l'espace public, il était au cœur d'un espace plurifonctionnel aux relations complexes et multiples. Aujourd'hui, nos sociétés ont créé pour l'art, comme pour l'ensemble des activités, des espaces fonctionnels, neutres, des espaces de patrimonialisation du vivant. S'il y a expérimentation et laboratoire, comme ce devrait être le cas du musée, l'expérience de l'espace est justifiée. Mais l'expérience est néfaste si elle aboutit à l'institution d'un espace sans risque.

Mon quatrième propos aura donc trait à la nécessité de s'exposer, que ce soit pour l'artiste ou pour nous tous. De nos jours, les artistes veulent participer à la ville pour de nombreuses et justes raisons, pour s'y exposer au sens de la confrontation et du risque, pour introduire la gratuité dans un espace de plus en plus dédié à l'utilité et à la marchandise. Bien sûr, ils ne peuvent pas le faire en reproduisant des modèles antérieurs puisqu'ils ne peuvent plus représenter, ni célébrer. Se trouve donc posé le problème du sens et de la nature de leur intervention. De telles questions se manifestent d'abord par rapport à l'architecture et à l'urbanisme. Les artistes ne peuvent plus agir dans une intégration, une correspondance ou une fusion des arts, au sens où l'entendaient Gropius ou Étienne Souriau, une fusion qui les cantonnait le plus souvent dans une fonction ornementale de fin de travaux. Les artistes aspirent davantage à une réflexion plus globale, à une participation en amont qui instaure une vraie relation entre eux et les architectes. Mais la nature de cette relation est complexe, car il s'agit non pas de pluridisciplinarité mais plutôt d'indisciplinarité. Dans les écrits de Richard Serra, il est question d'une discussion avec Peter Eisenman sur le contexte et le contextualisme. Serra, évoquant cette question, considère que l'architecte et l'artiste ont une première démarche similaire mais qu'ensuite, leurs modes d'action divergent. D'après lui, l'artiste, comme l'architecte, prend d'abord connaissance de la nature d'un lieu, de son identité, de son histoire, de ses traces, de ses usages, puis il fait un projet. Mais, dit-il, l'architecte fait un projet qui tend à renforcer la cohérence de ce qui préexiste, qui tend à l'amplifier, alors que l'artiste – en tous les cas, c'est ainsi que lui-même dit agir, et il l'a prouvé – essaie à partir de cette connaissance de l'existant d'arriver à un seuil, un point de rupture qui met l'espace urbain en regard critique. L'analyse que l'on peut en faire, c'est qu'éventuellement cela peut conduire à une mise en crise de l'espace urbain : ce fut le cas, par exemple, pour Richard Serra à New York avec son *Tilted Arc*, qui a provoqué une telle réaction de rejet que l'œuvre a été enlevée. Je crois qu'on est là au cœur d'un des points fondamentaux de la relation de l'artiste à la ville. Serra, d'une certaine manière, a pris la ville pour une salle de musée et il a considéré qu'il y avait là une autonomie et une souveraineté de l'art et de l'artiste qui n'impliquaient pas de partage, d'où ces réactions de rejet. Il n'a pas perçu la différence entre l'amateur, le visiteur du musée, et l'usager, le citoyen de la ville. Aussi, me semble-t-il préférable de parler, plutôt que de rupture, d'une esthétique de la tension. C'est un concept qui a été mis de l'avant par Daniel Buren. Il en parlera beaucoup mieux que moi.

Je voudrais, pour finir, évoquer simplement la nature et le pourquoi de ces interventions et de cette tension. Il paraîtrait tout d'abord que l'artiste est porteur d'une singularité qui fabrique de l'universel et non pas ce narcissisme des petites différences dont parlait Nietzche. Or, face à cela, la ville absorbe tout. Les rejets premiers deviennent vite des repères familiers. Je parle là de la situation de l'œuvre d'art dans la ville. Le détournement, l'habitude, la relation multiple à un espace urbain complexe qualifient l'œuvre d'art, comme celle-ci requalifie l'espace. Mais ils l'estompent également en lui donnant une urbanité domestique. En fait, ce qui arrive le plus souvent, contrairement à ce qu'on dit ou qu'on entend dire, ce n'est pas que l'œuvre soit rejetée ou soit considérée inacceptable, c'est plutôt qu'il existe une sorte de porosité de la ville, de ses usages, de sa complexité, faisant que l'œuvre, qu'elle soit très puissante, très faible ou tout simplement banale, se trouve inévitablement absorbée, qu'elle devient familière, parfois même n'est plus vue et tombe dans l'oubli. L'exemple de l'intervention artistique qui a créé le plus grand scandale, à ma connaissance, c'est celui du *Rodin* de Balzac, puisqu'il a fallu quarante-neuf ans, un demi-siècle, entre la date de la commande et celle de l'implantation de l'œuvre au coin du boulevard Raspail et du boulevard du Montparnasse. Or, c'est une œuvre que beaucoup ne voient plus, que chacun ou que la plupart en tous les cas admirent, qui est devenue aujourd'hui quelque chose d'extraordinairement familier, qui fait partie de cet espace. Pour prendre un exemple inverse concernant des choses aussi affreuses dans leur réalité plastique que dans leur symbolique, on peut mentionner la basilique du Sacré-Cœur à Paris qui parvient à faire partie d'une relation amicale, sensible avec Paris. J'en dirais autant, par exemple, de l'effroyable hommage au maréchal Leclerc qui se trouve porte d'Orléans et qu'a commis Raymond Subes. La ville absorbe, requalifie les choses les plus terribles. Le problème de l'artiste est bien de travailler dans une relation de tension et non pas dans une relation d'intégration. L'art public doit survivre dans l'espace urbain. Je pense qu'il est important d'insister sur cette différence entre urbanité et qualité, car les lieux les plus faciles, les plus agréables à vivre ne sont pas forcément les lieux les plus beaux.

Pour terminer, on peut mentionner quelques procédures nécessaires de cette relation. Il convient en premier lieu de travailler l'espace plutôt que l'objet. L'objet autonome, au sens de la modernité de Bruno Zevi, quand il parlait des objets trouvés de l'architecture moderne, est bien sûr en crise. Il faut donner à l'artiste et à l'œuvre une fonction relationnelle, il faut créer la situation. Il faut également refuser le monumental et ses célébrations, prendre acte du réalisme plutôt que du progressisme, ceci pouvant aller jusqu'à l'effacement. Deux exemples : celui de Joseph Beuys à Kassel, par la plantation de deux cents arbres, ou celui du projet de Jochen Gerz à Sarrebruck, où sont inscrits tous les noms des cimetières juifs d'Allemagne sous les pavés de la rue principale de la ville. Le temps s'est raccourci mais l'espace s'est dilaté, d'où l'intérêt de tout ce qui fait lien, marque le passage, relie centre et périphérie. C'est le cas, par exemple, de l'intervention de Takis à Beauvais, de la future réalisation de Daniel Buren à Montbéliard, des projets à Strasbourg, le long d'une ligne de tramway qui veut relier la périphérie au centre et où interviendront un certain nombre d'artistes comme Mario Merz ou Christian Boltanski, ou encore Jacques Hondelatte à Niort. Il faut s'intéresser également à ce qui crée de l'intériorité : la pièce urbaine, non plus comme signe extérieur, mais plutôt comme espace domestique de la ville, c'est, me semble-t-il, ce qu'a fait Kosuth à Figeac.

Cette présence de l'artiste dans la ville, qui le sort du marché et le remet sur la place, le rend aussi plus citoyen, et pourquoi pas – en tous cas, c'est mon souhait le plus cher –, citoyen de Montréal sur la place d'Youville.

Aurèle Cardinal, Montréal

UN TERRITOIRE INDUSTRIEL RÉAPPROPRIÉ :
LE VIEUX-PORT DE MONTRÉAL

Le port a été au fil des années, et ce, depuis la création de Montréal, le lieu de rencontre entre la ville et sa raison d'être, le fleuve Saint-Laurent, au pied des rapides de Lachine. Il s'est donc continuellement transformé et adapté, devenant le quartier industriel de la ville responsable du rôle de Montréal à l'échelle du continent nord américain.

À la fin du XVIIIe siècle, on retrouve le havre naturel en bordure de la ville fortifiée. Progressivement, au cours du siècle suivant, le port connaît un premier degré d'évolution avec l'apparition de murs le séparant de la ville, de quais perpendiculaires au rivage, du canal de Lachine et d'une première série d'écluses. Par la suite, le port local se transforme en un port international où sont transbordées les marchandises vers l'intérieur du continent; les installations prennent de l'envergure et s'adaptent continuellement à la technologie en évolution. Déjà vers 1930, existait le port contemporain qui n'a subi que des modifications mineures jusqu'à son apogée en 1960. Les structures de facture industrielle étaient des plus sophistiquées car, comme l'a noté Le Corbusier, «ces machines vivantes d'une grande élégance ont été conçues strictement pour répondre à des critères de performance d'ingénierie». Mais après 1960, le canal de Lachine sera fermé puis remblayé, un bassin face au marché Bonsecours sera également comblé, la section du port face au Vieux-Montréal perdant peu à peu sa raison d'être pour être finalement cédée à la Société du Vieux-Port, responsable de l'aménagement de ces espaces à des fins récréo-touristiques.

Le processus de définition des usages du site s'est avéré long et complexe. Dans les années 1970, on assiste à l'élaboration d'un projet de développement modifiant complètement

Maquette du projet du Vieux-Port de Montréal, 1992, Cardinal et Hardy, architectes

41

le territoire portuaire sur lequel déborde la ville. Dix ans plus tard, une autre proposition annonce une première scission avec la ville sous la forme d'une esplanade, l'aménagement des quais s'inspirant d'îlots urbains denses. Seule l'esplanade sera partiellement construite en 1983-1984. L'année suivante, une vaste consultation déclare l'usage public des lieux, l'accès au fleuve, la conservation des quais et l'attribution de fonctions complémentaires à celles du Vieux-Montréal. C'était un virage important alors que plusieurs grandes villes nord-américaines, telles Boston, New-York ou Toronto, procédaient à un aménagement de type développement.

Notre mandat, obtenu à la suite d'un concours international auquel dix équipes étaient invitées à présenter un projet, consistait, dans un premier temps, à élaborer un plan directeur d'aménagement répondant aux conclusions de la consultation publique et, dans un deuxième temps, à préparer les plans de réalisation de la première phase d'aménagement. La problématique se résumait donc à une question : comment mettre en valeur un espace aussi particulier, aussi vaste, aussi hétérogène que le territoire du Vieux-Port?

Notre démarche nous a amenés à bien comprendre le site, son histoire, son évolution dans le temps, les activités quotidiennes qui s'y tiennent, et à rechercher une solution issue du lieu même. Pourquoi projeter un jardin à la française ou à l'anglaise, alors que le port, la démesure des jetées, les bateaux, même accostés pour l'hiver, exercent un attrait puissant? Pourquoi construire du neuf quand le programme prévoit un centre d'exploration pour les jeunes et qu'un hangar existant, avec tout ce qu'il recèle d'inédit, invite déjà les jeunes à la découverte? Voilà pourquoi le projet consiste essentiellement à mettre en scène le lieu, les mémoires du port. La synthèse des études archéologiques nous a permis de retracer les vestiges qui pourraient bien constituer la base du programme narratif. Grâce à une série de fouilles exploratoires, nous avons pu vérifier l'existence d'un grand nombre des éléments pressentis.

Au terme de cette première étape, nous en avons conclu que le site et ses installations du début du XXe siècle représentent une richesse archéologique à conserver et à mettre en valeur. Ces éléments constituent un grand musée bâti où l'on peut circuler et s'instruire de l'échelle et de la vie présente et passée du port de Montréal, le deuxième en Amérique du Nord. C'était donc tout un vécu à mettre en scène.

Le Vieux-Port a connu des activités maritimes intenses dont il subsiste des traces sur lesquelles il faut capitaliser : bateaux de croisière, amarrage de bateaux en hiver, secteur Bickerdike encore actif industriellement, remorqueurs, gare maritime et bateaux d'excursion. La volonté et l'intérêt de préserver les installations du port moderne se doublaient donc du désir de maintenir en place un maximum d'activités portuaires existantes et même d'en favoriser l'expansion.

Le parti d'aménagement tiré des conclusions précédentes propose la mise en valeur de la morphologie du port industriel moderne, la restauration d'un maximum d'éléments encore en place et la création d'espaces rapportant cette morphologie, l'ensemble s'adaptant à la vocation récréologique du lieu et traduisant un vocabulaire architectural contemporain inspiré de la facture industrielle du port. Ce parti mène à des choix concrets dans chacun des grands chantiers d'aménagement qui ont été réalisés en 1991 et 1992 dans la partie ouest du site, c'est-à-dire l'embouchure du canal de Lachine, et dans la partie est du site, correspondant au secteur du marché Bonsecours. Le reste de l'espace sera réaménagé dans une phase ultérieure.

43

1

La zone de l'embouchure du canal de Lachine, bien qu'elle ait connu plusieurs transformations, passant d'écluses de 30 à 100 mètres et s'adaptant continuellement aux besoins du trafic maritime, a toujours conservé une échelle différente du reste du territoire, probablement parce qu'elle était utilisée presque exclusivement par de plus petits bateaux. Il fallait donc faire renaître les formes ensevelies, mettre à jour un système d'écluses et de bassins dont l'échelle favorise une réappropriation.

L'équipe de design a opté pour la mise en service du système d'écluses en bordure de la ville et ses quais très urbains, laissant le deuxième système d'écluses réaménagé comme une friche urbaine à l'avant-plan des grands silos. L'îlot central, langue de terre très étroite enserrée entre les deux systèmes d'écluses, sera très simplement mis en valeur grâce aux artefacts découverts, sa lisibilité étant ainsi renforcée. Un bâtiment abrite la maison des éclusiers, un café et un centre d'inter-prétation. L'architecture s'inspire des formes de hangars maritimes et des silos encore présents qui offrent un cadre unique, un fond de scène inégalé, symbole vivant de l'activité portuaire de Montréal. (Fig. 1).

44

2

Le secteur du marché Bonsecours constituait un défi tout à fait
différent : la monumentalité du port moderne et de ses équipements
ne se réappropriait pas aussi facilement ou du moins de la même
façon. Les traces sont là, mais combien moins pittoresques et
certainement moins romantiques : murs de bassin ensevelis, fondations recouvertes, hangars devenus bâtiments banals. Le projet consistait à établir une nouvelle relation entre la ville et l'eau dont les
trois composantes principales sont : premièrement, un parvis au
Vieux-Montréal constitué de la rue de la Commune et de sa promenade bordée par un mur, nouvelle délimitation entre la ville et le
port; deuxièmement, l'esplanade, espace linéaire entre les quais et la
ville où l'on retrouve un ensemble d'équipements allant de l'entre-
pôt frigorifique au poste de police, un certain nombre de hangars et
les fondations du silo n° 2 – les travaux récents ont permis leur mise
à jour et une installation urbaine permettant d'évoquer le gigan-
tisme de la machine devrait y prendre place; troisièmement, le
réaménagement des quais et du bassin révélant la morphologie du
port à son apogée. La métaphore entre la restructuration de l'espace
et le passé s'appuie également sur de nouvelles constructions et sur
le végétal qui reprend les traces bâties anciennes. (Fig. 2).

45

Les bâtiments d'une architecture contemporaine d'influence industrielle s'implantent sur les fondations mêmes des anciens hangars, empruntant à leur typologie linéaire. La construction en tête de jetée est prolongée par des éléments de structure ouverte du bâtiment même, permettant de mieux articuler l'espace en une série de pièces urbaines offertes à des activités particulières. (Fig. 3).

Les surfaces du quai Jacques-Cartier sont traitées avec des matériaux souples offrant une programmation très variée, alors que le quai de l'Horloge est aménagé comme un espace de détente. (Fig. 4).

46

L'île au centre du bassin Bonsecours, symbolisant les restes du remblai, s'accroche aux vestiges de la jetée centrale, petite avancée autrefois équipée de tours de manutention et de convoyeurs. Les formes ici diffèrent puisqu'il s'agit d'un lieu n'ayant jamais appartenu au port. Un parc de détente plus intime suggère des aménagements de connotation plus classique, plus urbaine, offrant une ambiance différente. (Fig. 5).

En conclusion, je me permets de souligner que le réaménagement du Vieux-Port de Montréal, à cause de la nature particulière du lieu, diffère de la création d'une place publique traditionnelle de la ville. Par contre, la démarche qui a sous-tendu la prise de décision a permis la réappropriation de l'espace et la naissance d'une place publique, ou plutôt d'un lieu public majeur pour Montréal. Le défi était de faire du Vieux-Port un endroit où la mémoire du passé, soit les vestiges d'archéologie industrielle, oriente aussi bien l'usage que la représentation, celle-ci donnant tout son sens à ce lieu particulier. L'approche métaphorique a fait renaître un espace abandonné, qui a été approprié par de nombreux citoyens et visiteurs, dès l'été 1992, et a exhumé tout un passé dont Montréal peut se glorifier.

UN TERRITOIRE PORTUAIRE REVISITÉ :
«NUIT DES DOCKS», SAINT-NAZAIRE

À Saint-Nazaire, le port était un lieu pratiquement interdit, une «zone», avec tout ce que cela comporte comme conno- tations péjoratives : une zone industrielle réservée plutôt au travail et donc, de fait, interdite à toute déambulation, à toute rêverie. Il y avait bien quelques personnes qui osaient aller au-delà de limites qui ne correspondaient pourtant pas vraiment à des interdictions formelles. Mais quoi qu'il en soit, «On ne va pas dans des endroits où les gens travaillent !» On ne se promène pas dans l'usine Renault, par exemple. Si chez Renault, les barrières sont surtout physiques, dans le cas du port de Saint-Nazaire, elles sont aussi historiques.

Il faut savoir que la ville de Saint-Nazaire a vécu un drame important au cours de la Seconde Guerre mondiale. À la différence du reste de la France, elle a été bombardée à 95 p. cent. Il ne reste donc pratiquement rien de l'ancienne ville. De plus, à l'emplacement même du quai des transatlan- tiques, c'est-à-dire en un lieu fort en départs vers d'autres mondes, les Allemands ont implanté une base sous-marine qui mesure 350 mètres de long sur 50 mètres de large, une construction qui est absolument indestructible. Certes, des études ont été faites pour savoir s'il était possible de la démolir, mais pour cela, il aurait fallu faire exploser la ville une fois de plus. Le projet a bien sûr été abandonné. Le problème auquel je me suis confronté était très important parce que les gens n'allaient plus dans ce lieu. Certainement avant la guerre – et je suis trop jeune pour l'avoir vécu, mais j'ai lu dans Tintin que cela se passait très bien – il y avait un port qui ouvrait vers l'Amérique et vers tout ce que ça voulait dire à cette époque-là. Après la guerre, il s'est opéré une rupture complète entre la ville et son port. Comme mon nom

«Nuit des docks», Saint-Nazaire, 1991. œuvre semi-pérenne de Yann Kersalé

49

l'indique, je suis d'origine bretonne et comme vous avez pu le remarquer, je suis assez attristé de voir que des villes qui ont les pieds dans l'eau ne regardent plus l'eau, n'ont plus de rapport avec leur eau. À Saint-Nazaire, il n'y avait plus de relations entre la ville et le port.

Le site concerné par cette intervention fait à peu près 1,8 kilomètre de long et comprend les deux rives. Il se compose d'une succession de bassins, l'ensemble formant une tranchée dans la terre. En fait, j'ai pris le parti d'essayer de refaire une jonction entre la ville et le port. Les trois passages obligés pour passer d'un côté à l'autre de la zone portuaire sont des ponts : il y en a un qui se lève, un autre qui s'ouvre et le troisième qui se tourne. Ils correspondent à trois fonctions particulières. J'ai donc cherché à capter les passages pendant l'ensemble de la journée : le matin, l'entrée au travail, le soir, le départ du travail, parce que c'est une zone qui est encore en pleine activité. Cette captation, cette espèce de pulsion, d'électrocardiogramme en quelque sorte, donne la programmation de la nuit qui suit au moyen des différents cycles de lumière qu'on a établis. Dans une conférence précédente, il fut question de projet pérenne ou éphémère. Je pourrais dire que cette œuvre-là est semi-pérenne, semi-éphémère, c'est-à-dire que je ne me suis pas attaché à faire quelque chose pour la postérité. Ce genre d'installation fait pour l'instant partie, de ce qu'on appelle en France, les nouvelles technologies. Mais, je pense que, dans quinze ou vingt ans, ce ne sera plus du tout d'avant-garde. L'œuvre n'est pas construite en un bronze inaltérable. Il faut changer les lampes de temps en temps et le matériel va devenir caduc dans quelques années. On peut donc dire que l'installation est prévue pour une décennie et que sa survie dépend entièrement de la volonté de la ville. Personnellement, je ne tiens pas à ce que le projet s'incruste : il y aura d'autres documents qui pourront faire preuve ou trace de l'existence de ce travail. Et puis, le port va peut-être changer, il va peut-être se passer autre chose. Or, ce qui est assez remarquable, c'est que l'endroit est maintenant devenu un lieu de déambulation utilisé tous les jours, du crépuscule à l'aube. J'ai beaucoup insisté pour que cette présence lumineuse dure pendant les heures d'obscurité. J'ai même proposé des programmations pour que les problèmes de coût et de maintenance puissent s'équilibrer et s'accorder avec cette idée de continuité. D'ailleurs, dans pratiquement tous les travaux que je réalise, j'insiste énormément pour que l'œuvre reste en place du crépuscule à l'aube. Tout ceci n'est donc pas destiné seulement aux touristes, c'est surtout fait pour les résidants qui vivent là toute l'année. De plus, comme le chef pilote de Saint Nazaire me l'a rapporté, les marins qui entrent dans le port, en provenance du Brésil, de la Chine ou d'ailleurs, trouvent tout ceci vraiment très original et inhabituel. Il semble bien que Saint-Nazaire soit devenu, en tous cas pour l'instant, un port dans lequel ils ont du plaisir à revenir, un lieu qui les marque et dont ils gardent un sacré souvenir.

Michel Herrou, Paris

L'ESPACE PUBLIC DANS LA SOCIÉTÉ D'AUJOURD'HUI

Dans sa présentation, François Barré a dit que la place publique n'était pas forcément une des préoccupations importantes de la politique de la ville en France. J'aurais tendance à penser le contraire. Il y a une dizaine d'années, lorsqu'on a commencé à travailler sur le problème des banlieues, en particulier avec Roland Castro et Michel Cantal Dupart, on est parti de certaines images qu'on avait en tête. Une de ces images concernait Paris.

Il y a environ 250 ans, il y avait un endroit dans la capitale qui était terriblement «rien», un entre-deux, un marécage qui traînait jusqu'à la Seine : c'était le fossé, les douves du château des Tuileries. Les échevins se sont dit que c'était trop mal famé, car bien sûr on y retrouvait parfois quelques cadavres et l'insécurité y régnait. Ils ont donc demandé à Louis XV de faire quelque chose et, à cette fin, lui donnèrent le terrain. Le roi a fait appel à un architecte, Gabriel, qui, pour trouver de la terre, a arasé de quelques mètres la colline de Chaillot afin de remblayer le fossé. L'architecte a dessiné une place rectangulaire, construit deux bâtiments, placé quatre fontaines et des lampadaires et puis il a prolongé le nouvel aménagement, côté ville, par un lotissement. Bien sûr, ce que je viens de vous raconter, en quelques mots, c'est l'histoire de la place de la Concorde et du lotissement des Champs-Élysées. C'était, et c'est toujours, pour moi, un événement emblématique de ce que peut être une politique de la ville et du rôle de l'espace public dans un cadre urbain.

Lorsque des endroits posent problème, il est très difficile de les transformer au minimum : il est nécessaire d'en faire quelque chose qui prenne du sens, pas seulement sur le lieu qui existe, mais également à l'échelle de la ville, voire, pour

53

l'exemple précédent, à l'échelle du monde. L'ambition est très importante en matière d'espace public. On dépasse de très loin la quotidienneté immédiate, bien que celle-ci ne doive pas être oubliée.

Revenons quelque peu à la définition de la place publique. En venant à Montréal, j'ai relu l'*Iliade* d'Homère. Tout au début, Achille se dispute avec son chef Agamemnon. Une dispute terrible, qui se passe sur la place publique. Même dans le camp des Grecs, qui investissaient Troie depuis une dizaine d'années, il y avait au centre une agora en tant que lieu de la vie publique. Examinons le terme grec *agora* : il veut dire, à la fois, assemblée et espace. Cette dualité est quelque chose de très important, parce que le lieu ne se définit pas sans l'usage, ni sans la signification. Un espace physique relève à la fois d'une pratique institutionnelle, d'une pratique économique et d'une pratique symbolique. Les fonctions de la place concernent toujours le lieu public : le lieu extérieur où se déroule la vie publique. Ces espaces sont forcément exceptionnels. Si je fais référence à l'histoire, c'est parce qu'il me semble que la représentation mentale de la place publique, c'est-à-dire tout ce qu'on a en tête lorsqu'on en parle, relève du mythe. Une mythologie renvoie toujours à de l'universel. Au début de ce colloque, quelqu'un posait des questions au sujet de la place Jacques-Cartier : pour moi, il n'y a pas de différence entre la place grecque et les autres places dans la mesure où leur existence correspond à l'image de la société.

On pourrait revenir sur les définitions. Qu'est-ce qu'une place? C'est un lieu qui est dans une ville et fait partie de la vie publique; c'est aussi un lieu à la croisée des chemins : on y passe, on s'y promène. La place est multifonctionnelle, elle s'apparente à un décor de théâtre. C'est comme cette salle :

il y aura d'autre gens comme moi qui vont parler depuis cette scène. Cela ne veut pas dire que ce que je raconte vous intéresse, mais s'il n'y avait pas ce dispositif, vous ne m'écouteriez pas. C'est comme un décor de théâtre qui peut offrir plusieurs scènes de la vie publique, mais pas n'importe lesquelles. Mais lorsque le décor est mauvais, la vie publique, la scène qui s'y déroule semble mauvaise. Ce qui ne signifie pas que si le décor est beau et bon, la pièce sera bonne. Ceci est une autre histoire.

Aujourd'hui, un nouveau problème apparaît car les fonctions de la ville se sont spécialisées. On lave de plus en plus son linge sale en famille, alors qu'avant on allait au lavoir public. De la même manière, lorsqu'il n'y avait pas l'électricité, on allait dans ce lieu public qu'était le café. Mais maintenant on regarde la télévision. Il y a comme cela toute une série de pratiques qui ont changé et qui changent, et qui font que les places publiques, suivant l'exemple de la place de la Concorde, ont eu 50, 100, 200, 400, 1 000 fonctions différentes. L'évolution est permanente. Il y a même des endroits qui finalement n'ont plus de fonction. On arrive ainsi à une véritable contradiction. François Barré a employé une formulation extraordinaire : «Comment s'approprier un espace public?» On met deux mots qui s'opposent l'un à l'autre, voilà le cœur du problème. Lorsqu'il y a appropriation par quelques-uns d'une partie d'une place publique, celle-ci n'est plus ouverte à tous et n'est donc plus publique. Il existe des tendances fonctionnelles pour privatiser. Sur certaines places, on ne trouve plus que des terrasses de café et des parkings, on ne peut plus s'y promener, on ne peut plus rien y faire d'autre que de consommer. Ce n'est plus de l'espace public!

La place publique, toujours au sens étymologique, est un lieu plat à l'intérieur d'une ville, un lieu qui donne du sens à la ville, mais l'important c'est qu'il se situe toujours à la croisée des chemins. C'est un espace qui existe en lui-même : vide, il est construit par ce qui l'entoure, par tous les bâtiments dont l'intérieur est espace privé, même si ceux-ci sont des bâtiments publics; c'est l'espace privé qui entoure, délimite et construit l'espace public qui n'existe pas seul. Comment, avec du vide, faire du plein? Là aussi, on est encore dans la contradiction. Vous savez que l'agoraphobie est la maladie classique de l'espace public. La contradiction s'y manifeste puisque l'agoraphobie est, à la fois, la peur du vide et la peur du plein. La peur de se retrouver seul dans un endroit et la peur d'être dans la foule.

La place publique apparaît donc comme un espace de réserve pour la vie publique qui n'a pas d'autre lieu pour s'épanouir. Je citerais Vitruve, le célèbre architecte romain, qui disait que la place publique doit être construite «tout autour». Pour lui, il s'agissait surtout de faire des portiques et de laisser le centre de la place aux gladiateurs. La place était le lieu où pouvait se dérouler le jeu de la vie publique.

Pour terminer, j'aimerais revenir à la ville grecque parce qu'au plan de la symbolique, cela me semble important. Il y avait une statue caractéristique de la croisée des chemins et de la place publique, c'était l'Hermès. Les mythes entourant ce dieu correspondent à ceux de la place publique. Hermès était à la fois le dieu de la communication et le dieu du mensonge, le dieu du marchand et le dieu du voleur. C'était le dieu de la mort et le dieu de la vie.

Cette place publique dont on parle n'est-elle pas, au plan de sa fabrication, un lieu de contradiction dont la solution ne peut être trouvée que par l'invention, la création? La question n'est pas de concilier des inconciliables, ni de faire entre les deux, mais de faire l'un et l'autre. On se retrouve, dans le présent, à relier deux éléments très importants, l'un qui s'appelle la nostalgie, ce qu'on garde de notre passé, et l'autre, ce que Thomas Moore appelait l'utopie, c'est-à-dire le non-lieu, où l'on rêve, dont on voudrait qu'il soit le lieu du désir. Avec la place publique, il s'agit donc bien de savoir comment concilier, dans le présent, passé et utopie.

LA PRODUCTION

DE L'ESPACE PUBLIC

acteurs et

2 processus

Robert Fortin, Montréal

LA PRODUCTION DE L'ART
ET DE L'ESPACE PUBLICS AU QUÉBEC

J'aimerais vous livrer les réflexions du ministère des Affaires culturelles* du gouvernement du Québec sur les processus qui mènent à la production d'art public et à l'aménagement d'espaces urbains. Je ne me limiterai pas à la vision politique ou administrative de ces sujets; je souhaite en effet que mon exposé contribue à cerner les grands enjeux qui gouvernent nos actions. Il me semble également important de soulever quelques questions de fond auxquelles nous sommes tôt ou tard confrontés en cours de route. Avant de parler de méthodes, il convient donc de parler des interventions.

Le ministère des Affaires culturelles a élaboré plusieurs moyens d'agir en matière d'art public. Il instaurait, il y a maintenant dix ans, le programme d'intégration des arts à l'architecture et à l'environnement, plus couramment appelé «politique du 1%». En vertu de cette politique, 1 p. cent du budget de construction de tout édifice public ou gouverne-mental doit être affecté à l'intégration d'une œuvre d'art. En dix ans, 775 projets ont été réalisés, 885 œuvres ont été créées par 413 artistes. Toutefois, de ce nombre, seulement trois projets sont directement liés à l'aménagement de jardins ou lieux publics. Il faut ajouter aussi que certaines entreprises emboîtent le pas sur une base volontaire. Finalement, nous gérons un programme d'aide directe aux artistes.

Par ailleurs, plusieurs ententes de développement sont en vigueur entre le ministère et des municipalités. La plus importante est celle qui lie le Ministère et la Ville de Montréal depuis 1979, concernant la mise en valeur du Vieux-Montréal et le patrimoine montréalais. Cette entente a donné lieu, entre autres, au concours international d'aménagement de la place Jacques-Cartier, à la mise en

61

valeur du Champ-de-Mars et à l'aménagement de la rue de la Commune et de la place Royale. Pour la réalisation de ces projets majeurs, plusieurs formules ont été mises de l'avant. On a tour à tour fait appel à des concours internationaux, à des ateliers, à des équipes pluridisciplinaires et à des concepts élaborés en régie.

Toujours de concert avec les municipalités, nous pouvons agir également par le biais du programme intitulé «Projets municipaux en matière de patrimoine». C'est ainsi que le Site des Moulins de l'île de la Visitation a fait l'objet d'une intervention majeure de design urbain. Dans ce cas précis, on doit le concept à une équipe d'architectes et d'urbanistes du secteur privé, suivant la procédure courante d'appels de candidatures.

Notre approche est quelque peu partielle étant donné son caractère législatif ou administratif. Mais, depuis le 18 juin 1992, nos interventions s'inscrivent dans le cadre global de la première politique culturelle du Québec, laquelle prône les grandes orientations ministérielles, dont deux touchent l'architecture et le cadre de vie, c'est-à-dire la valorisation de l'héritage culturel et le soutien prioritaire à la création sous toutes ses formes. L'architecture et l'aménagement publics y sont non seulement considérés comme objets de conservation, mais aussi comme témoins de notre maturité et des valeurs qui nous sont propres. Plus que jamais nous affirmons notre préoccupation pour la qualité de l'environnement architectural et paysager. Par conséquent, l'intégration harmonieuse des nouvelles constructions au tissu urbain devient essentielle à l'amélioration de notre cadre de vie. Enfin, nous comptons sensibiliser les municipalités et d'autres ministères gouvernementaux à la protection du cadre de vie.

Dans la pratique, peu importe l'action posée, la démarche est sensiblement la même au moment d'élaborer un concept de réaménagement d'une place publique. Elle consiste principalement en trois étapes majeures : la définition du programme, la conception et la mise en œuvre, comme pour tout projet de construction.

Parce qu'une place est un lieu collectif et complexe, quantité d'acteurs interviennent dans le processus : les élus, les usagers, les groupes de pression, les commanditaires, les administrateurs des différents services municipaux, les designers urbains, les architectes, les architectes paysagistes, les artistes, les urbanistes, ainsi que les spécialistes comme les historiens, les archéologues, les horticulteurs, les ingénieurs en voirie, en circulation, en éclairage et enfin les entrepreneurs.

Un facteur important est la prise de décision, parce qu'il entre en jeu à chacune des étapes. Différents modes de décision ou d'encadrement ont été appliqués ou explorés à Montréal et au Québec, que ce soit au moyen de la consultation publique, par le biais des comités d'aménagement, des comités consultatifs, des comités exécutifs, des services municipaux, etc. Aucun n'est parfait : que l'on pense aux cas d'ingérence ou aux retards et aux risques d'incohérence occasionnés par de trop nombreux intervenants.

L'étape «commande/programme» soulève les trois enjeux suivants:

1. Comment faire participer les usagers – qui sont les premiers intéressés – dans le processus de définition des besoins et du programme?

2.Comment établir un programme clair qui facilite la budgétisation?

3. Quand doit on fixer le budget pour qu'il soit réaliste? À l'étape «conception», il s'agit essentiellement de déterminer les facteurs de succès relatifs à l'attribution de mandats, à la

méthode de travail ainsi qu'à l'intégration des valeurs sociales et culturelles.

Quelle est la meilleure méthode d'attribution de mandats pour obtenir le meilleur produit? La régie, l'atelier ou le contrat par adjudication ou par concours? Le concours d'idées ou de projets? Le concours ouvert ou sur invitation? Ouvert à un individu ou à une équipe multidisciplinaire?

Quelle est la meilleure méthode de travail garantissant l'efficacité de l'équipe de conception? Comment assurer le leadership au créateur dans une démarche de concertation afin de maintenir la cohérence du discours pendant tout le processus de design? Jusqu'où et comment tenir compte de l'accessibilité physique et intellectuelle du design pour la majorité des usagers?

Quant à l'étape ultime, la mise en œuvre, comment s'assurer de la réalisation du concept original? Suffit-il de prévoir des délais d'exécution raisonnables, d'attendre des conditions de marché favorables, d'éviter les retards ou les extras occasionnés par des plans inachevés ou d'avoir un suivi de chantier extraordinaire?

J'ai volontairement formulé nos préoccupations et enjeux sous forme de questions, parce que je crois qu'il n'existe pas encore de formule universelle, garantie du succès. Je crois toutefois que nous avons en mains des leviers efficaces et le niveau de réflexion adéquat pour y parvenir.

Revenons sur des aspects, disons, plus philosophiques de la conception d'une place publique. Il s'agit des valeurs sociales, humaines et culturelles animées ou véhiculées par l'espace public. Les citoyennes et citoyens qui fréquentent les lieux publics doivent y avoir un accès autant physique qu'intellectuel : ils doivent s'y «sentir chez eux». J'irais jusqu'à dire que l'auteur a une certaine responsabilité sociale, car il influence l'environnement collectif, son œuvre s'ajoutant au paysage existant. Il faut, à mon sens, trouver un juste équilibre entre la liberté de création et la sensibilité collective.

Dans cette recherche d'équilibre et d'harmonie, il nous faut établir les facteurs de succès en matière de conception et de réalisation d'un espace public. La réflexion doit se poursuivre, à partir des meilleures expériences vécues par les acteurs que vous êtes et que nous sommes, et partagées à l'occasion du colloque.

En terminant, je formulerai une proposition des éléments les plus susceptibles de contribuer à la réussite d'un projet :

1. la liberté de création;
2. le respect de l'auteur du projet;
3. l'intégration de l'œuvre au cadre de vie;
4. la qualité et l'excellence du projet;
5. l'accessibilité de l'œuvre.

* Le ministère des Affaires culturelles est maintenant appelé le ministère de la Culture et des Communications.

André Lavallée, Montréal

UNE POLITIQUE URBAINE CONCERTÉE

Montréal, la grande ville industrielle canadienne et métropole du Québec, est unique en Amérique du Nord. On dit qu'elle a toutes les caractéristiques des villes européennes, mais nous, les Montréalais, nous savons que la spécificité de notre ville réside dans sa double aspiration d'être à la fois européenne et américaine. Émergeant de son passé de métropole industrielle canadienne, Montréal a dû, au cours des cinquante dernières années, s'adapter à des conditions économiques changeantes. Elle a vu l'importance de certaines de ses forces traditionnelles se relativiser; ainsi, sa localisation a perdu son caractère stratégique de nœud ferroviaire et portuaire sur l'Atlantique. C'est donc dans ce contexte que l'on doit aborder le cadre politique de nos idées concernant l'évolution de «la ville centrale contemporaine», par rapport à «la ville historique».

Notre perspective courante de la ville «traditionnelle» est constituée d'images et d'usages que nous renvoie la ville américaine et moderne de la fin du XIXe siècle, telle qu'Adolf Loos l'avait décrite. Montréal est véritablement née dans la modernité.

Paradoxalement, notre ville «traditionnelle» est aussi moderne : rues droites à intersections orthogonales, bordées d'alignements de maisons en colombages de bois préfabriqués et à toitures plates. Ainsi, le quartier ancien de Montréal, le «vieux» Montréal, est largement constitué d'édifices datant du début du siècle, même si l'espace public de l'ancienne cité coloniale française peut toujours être pressenti.

De plus, les usages des lieux montréalais n'ont pas, et de loin, la complexité et la densité de ceux des villes d'Europe. Montréal n'a enregistré son millionième habitant que dans

67

les années 1950 : elle est une métropole très jeune où toutes les formes contemporaines d'aménagement urbain sont présentes en périphérie d'un tissu urbain classique qui s'est formé pour une première fois de 1850 à 1950. Ce n'est qu'au milieu du XXᵉ siècle qu'émergea l'idée de construire des banlieues en dehors du périmètre de la cité de Montréal.

Par ailleurs, la distinction formelle entre, d'une part, la ville centrale dense, chargée d'activités diverses et, d'autre part, les banlieues pavillonnaires unifonctionnelles des anciennes conurbations européennes, est loin d'être aussi évidente à Montréal : quartiers périphériques du centre-ville de deux et trois étages avec marges de recul de 6 à 15 pieds (1,8 à 4,6 m), par exemple. Or, jusqu'à très récemment, le tissu urbain central de Montréal s'est façonné en l'absence d'une réglementation de l'architecture. De plus, tout comme plusieurs autres villes d'Amérique, Montréal a subi, à partir des années 1950, des démolitions massives et a assisté au déclin de ses quartiers centraux. Les grandes opérations de «rénovation» urbaine des années 1960, couplées à une croissance économique relativement constante, mais lente et modeste, accompagnée d'une migration importante de la population citadine au profit des banlieues périphériques, nous ont légué de vastes friches urbaines désaffectées, ou autrement converties en terrains de stationnement.

Du point de vue démographique, Montréal évolue de façon très différente des centres-villes des métropoles européennes. Exception faite de la rue Sainte-Catherine, et peut-être des rues Crescent et Prince-Arthur le soir, les artères centrales de Montréal sont certes moins densément fréquentées que celles de Paris, Lyon, New York ou Londres, mais on peut aussi inclure dans cette comparaison bon nombre de villes de provinces européennes. Si l'espace urbain est moins chargé, on ne peut en dire autant de l'emploi du temps des citoyens qui semble parfois aussi mouvementé que celui des habitants de n'importe quelle autre grande ville. Le tissu urbain central de Montréal est certes très fragile! La forme de la grande ville et son rapport avec la vie urbaine qu'elle supporte diffèrent subtilement de ce qui prévaut dans le reste de l'Amérique et de l'Europe, mais cette différence est nettement ressentie dans les enjeux politiques entourant les dossiers d'aménagement urbain.

À la suite de la réflexion collective sur la fragilité de notre cadre physique urbain, ainsi que sur la crise fiscale des villes centrales peu denses, il ressort que les politiques d'aménagement urbain devraient évoluer de manière à intensifier et à enrichir la forme de la ville. Le tissu urbain de Montréal étant vulnérable et facile à abîmer par des gestes non réfléchis, la décision de l'administration municipale de faire des consultations publiques sur les grandes orientations du plan d'urbanisme, par exemple, trouve ici un terrain d'action fertile.

Il y a six ans, l'évolution de notre pensée en matière d'aménagement urbain passait par une politique d'espaces verts. Les lots vacants, les espaces résiduels, même les ruelles à l'arrière des pâtés de maisons, étaient convertis en aires de verdure, en miniparcs, en autant de «places au soleil». Parallèlement, voyaient le jour des programmes visant la création de places publiques et la mise en valeur des grands parcs existants, tels le Mont-Royal et le parc des Îles. Le projet d'embellissement de la «Montagne», mis en œuvre par la Ville, demeure un bel exemple soulignant l'importance des processus de consultation et de concertation avec les citoyens. Dans un premier temps, les informations recueillies ont permis de passer à une étape de concertation à trois niveaux – les usagers du parc, les institutions et autres organismes mitoyens et les groupes d'intérêts régionaux –, suivie d'une consultation publique de première importance. Ces pratiques traduisaient une certaine évolution dans la vision de la grande ville comme lieu de loisirs et de culture, la ville comme théâtre de la société et de la vie publique.

L'aménagement des grandes places de Montréal – places Roy, Berri, le Champ-de-Mars et la promenade de la Commune – reflète l'importance des lieux publics pour une vie civique. Mentionnons ici les étapes de consultation dans l'élaboration des projets de la place Roy et de la place Pasteur également. Dans la même foulée, il convient de noter les efforts en vue de doter les quartiers de places-parcs grâce, entre autres, à la rénovation de la place du Portugal et à l'aménagement de la place des Amériques ou de la place de la Bolduc pour ne parler que du quartier Saint-Jean-Baptiste au plateau Mont-Royal.

L'importance de la qualité de l'environnement urbain pour les Montréalais semble donc venir de la double aspiration d'une société évoluant dans un monde dit «post-industriel» : celle d'une vie urbaine saine, où l'environnement naturel est protégé des effets de détérioration et agrémenté de nouveaux espaces verts; et celle d'une vie civique rendue plus intense par la qualité de l'aménagement des lieux publics où se tiennent des événements aussi nombreux que variés, d'une part, et par la construction domiciliaire dans les zones vétustes et abandonnées, d'autre part.

Bref, il s'agit de combiner tous les avantages de la vie périphérique à ceux de la ville centrale de la région. Mentionnons à cet égard que, dès la fin des années 1960, la population de la conurbation de l'île de Montréal s'étant affranchie progressivement d'un horaire de travail traditionnel s'adonne de plus en plus à des loisirs de plein air – la notion d'une «ville-santé» n'est d'ailleurs peut-être pas étrangère à ce nouveau mode de vie. Cependant, la nature de ces activités a évolué au fil des ans : les équipements sportifs installés dans les grands parcs, bien que toujours populaires, ne répondent plus à l'image de loisirs et de santé nord-américaine; les pistes cyclables et les circuits touristiques et culturels se multiplient; les rues commerçantes offrant une grande diversité de restaurants, boutiques et autres divertissements attirent la population banlieusarde, lui proposant dans un «retour en ville» une agréable combinaison des activités de travail et de loisir. En fait, la ville fournit 40% des emplois de la région, dont plus du tiers se situe au centre-ville.

La population périphérique (3 millions) représente une importante clientèle cible pour Montréal, car l'équité fiscale entre la ville centrale et sa région demeure un problème majeur. Quelques données tirées du texte du plan d'urbanisme, déposé cette année, résument la situation :

... les Montréalais doivent consacrer au budget de leur ville l'équivalent du tiers des budgets municipaux de tout le Québec et desservir, par certains services, infrastructures et équipements, des collectivités qui regroupent la moitié des Québécois.

Montréal joue un rôle pivot d'autant plus difficile que la banlieue qu'elle dessert est de plus en plus vaste. Il ne s'agit pas simplement de croissance puisqu'un processus important de restructuration de l'espace est en cours. La population de la région n'augmentait que de 13% entre 1966 et 1981, la superficie occupée grimpait de 50%.

En complément des services de toute nature qu'elle dispense, Montréal doit assumer des charges liées à sa fonction de noyau central. Toutefois la maintenance des équipements et services montréalais n'est pas défrayée par l'ensemble de ceux qui y accèdent.

Cet étalement urbain, ce changement dans la façon de peupler l'espace,

affecte Montréal de multiples façons. La dispersion des activités résiden-
tielles et économiques mobilise les ressources financières québécoises vers
la construction de routes et d'infrastructures en zones à faible densité et
constitue un poids de plus en plus lourd pour un bassin stable de contribuables.
Ainsi s'amorce une spirale sans fin. Les effets de cette situation se font sentir
dans les zones centrales, où les coûts de développement plus élevés incitent
à l'abandon de secteurs disposant pourtant d'infrastructures et de services.

Bien que Montréal soit loin d'être la seule grande ville en
Amérique à connaître ce problème, l'histoire récente de
l'évolution de son tissu urbain diffère nettement de celle des
autres métropoles américaines. L'échelle des interventions
faites dans les dernières décennies en matière de rénovation
urbaine étant plus petite, la ville centrale offre une mixité
d'usages et une qualité du cadre bâti assez inhabituelles. Il
s'agit donc de consolider cette ville centrale et son centre-ville
en mettant l'accent sur la qualité des interventions, principalement dans les secteurs abandonnés. Il s'agit, par exemple,
de combler les friches autour du Vieux-Montréal et miser
ainsi sur la synergie culturelle et économique de la vie
métropolitaine.

C'est dans ce contexte que doit s'affirmer notre volonté
d'augmenter l'affectation résidentielle en milieu urbain et d'y
améliorer la qualité de l'environnement, surtout dans les
quartiers jouxtant la ville centrale et ses banlieues. En fait,
jouer sur nos atouts de noyau central, c'est jouer sur la
consolidation du centre et de ses quartiers. Il nous appartient
de caractériser la vie civique par de grands projets de places
publiques, de belvédères, de promenades et de jardins permettant aux grands événements publics d'enrichir l'usage estival
et même hivernal de ces nouveaux espaces de la ville centrale.

Tel est le contexte économique et politique de ces projets
de places publiques qui s'implantent dans un tissu beaucoup

plus fragile que celui de Lyon, Barcelone ou même Lille. Le processus de conception et d'exécution de ces places doit également tenir compte de la densité relativement faible de la ville centrale, au plan des constructions existantes et par rapport à la démographie régionale.

L'administration municipale demeure très ouverte aux diverses façons de mobiliser le savoir-faire du secteur privé, que ce soit par voie de concours ouverts ou de consultations subséquentes à un appel d'offres. Cependant, la qualité esthétique des lieux publics n'épuise pas en soi tous les enjeux économiques et sociaux. Tout d'abord, il faut se demander si le lieu choisi est stratégique, en d'autres termes, s'il répond aux nouvelles orientations du développement de secteurs particuliers de la ville : ici, le sens même de la place proposée est à définir. L'activité urbaine d'une place se développe dans le temps. La Ville peut d'ailleurs jouer un rôle capital dans la formation des habitudes d'usage du lieu chez le public; il peut lui suffire d'encourager le développement commercial limitrophe ou d'organiser de grands événements publics célébrant la connotation spatiale. L'évaluation des projets récents est donc évolutive. Il s'agit de juger le succès de la place par rapport aux effets économiques et sociaux induits dans le temps.

L'avenir de la ville centrale réside dans le défi de maintenir Montréal au rang des dix métropoles nord-américaines les plus connues mondialement, tout en requalifiant son caractère de lieu de diverses activités d'envergure internationale dans un cadre culturellement riche et diversifié. La présence d'espaces publics, vivants et sécuritaires, et la mixité fonctionnelle comme élément moteur des enjeux urbains et économiques de la ville centrale sont maintenant partie intégrante de la vie citadine, dans le quartier des affaires tout comme dans les quartiers centraux. Cette conception de la ville est à l'origine de principes d'organisation urbaine qui font aujourd'hui figure de lieux communs tant en Europe qu'en Amérique.

Francyne Lord, Montréal

UNE POLITIQUE MUNICIPALE EN MATIÈRE D'ART PUBLIC

En 1989, la Ville de Montréal adoptait un plan d'action en art public, prévoyant l'implantation de nouvelles œuvres d'art dans les espaces publics. Montréal devenait ainsi la première ville du Québec à se donner un programme d'acquisition d'œuvres monumentales de créateurs contemporains. La gestion en incombait à la Commission d'initiative et de développement culturels (CIDEC), dont le Bureau d'art public, nouvellement créé, se voyait attribuer un triple mandat : la restauration et la mise en valeur des œuvres déjà existantes, l'acquisition de nouvelles pièces et la promotion de l'ensemble de la collection.

Au cours des trois premières années du plan d'action, d'importantes campagnes de restauration ont permis de remettre en bon état 12 sculptures monumentales situées principalement dans le Vieux-Montréal et le centre-ville. Parallèlement, un programme de promotion était instauré en collaboration avec des entreprises touristiques. Venaient également s'ajouter des activités éducatives. De plus, un programme d'identification des œuvres a débuté cette année avec l'installation de panneaux d'information dont on peut voir un exemple à la place Berri. D'ici trois ans, toutes les pièces seront ainsi identifiées.

Si la commande publique est un phénomène récent à Montréal, la première acquisition faite par la Ville remonte à 1809, avec la colonne Nelson, qui se trouve encore aujourd'hui sur la place Jacques-Cartier. Historiquement, trois grands moments ont par la suite tracé le portrait de la collection montréalaise, trois moments qui correspondent à trois aspects de l'art public : la commémoration, la sculpture abstraite et l'œuvre éclatée.

75

La période de 1890 à 1930 a laissé une vingtaine d'œuvres majeures, commandées aux meilleurs sculpteurs, et financées grâce au mécénat et à des souscriptions publiques. Il s'agit de pièces allégoriques et commémoratives. Ces commandes exécutées par les George William Hill, Louis-Philippe Hébert et Alfred Laliberté illustrent de façon éloquente une volonté de célébrer les grands personnages, mais également de transmettre un message aux générations futures, d'inscrire dans l'histoire les traces d'un événement.

La décennie des années 1960 est marquée en 1964 par la tenue du Symposium international de sculpture du parc du Mont-Royal et en 1967 par l'Exposition universelle. Ces deux événements témoignent de l'ouverture de Montréal sur le monde et sont l'occasion d'accueillir une quarantaine de sculptures d'artistes québécois et étrangers. Ce sont les Yves Trudeau, Armand Vaillancourt, Charles Daudelin, Gérald Gladstone, Eila Hiltunen et Alexander Calder. Les œuvres de cette période marquent une rupture avec la tradition, révélant le souci de reformuler le concept du monument, le besoin de le recomposer dans une forme abstraite. Elles remettent en question la place de l'artiste et de l'œuvre dans le monde moderne.

Enfin, la troisième période, de 1980 à 1989, où les nouvelles acquisitions sont le résultat de la contribution du Gouvernement du Québec par suite de l'application de la politique du 1% et du réaménagement du square Viger lors de la construction de l'autoroute Ville-Marie. Viennent enrichir la collection des artistes tels Charles Daudelin, Peter Gnass, Lisette Lemieux, Astri Reusch, Claude Lamarche. Ils présentent des œuvres éclatées, qui prennent la forme d'aménagement et qui, phénomène nouveau, interrogent le lieu dans lequel elles s'inscrivent.

Au même moment, l'espace urbain subit une transformation profonde qui se traduit simplement par une révision du concept d'espace public et de milieu de vie. Les effets touchent non seulement le rôle de l'art dans les lieux à vocation sociale mais aussi la définition de ce qu'est un espace public. Les galeries marchandes, la télévision et les médias sont maintenant les lieux d'interaction qui remplacent peu à peu la place publique traditionnelle.

C'est dans cette mouvance, au tournant des années 1990, que Montréal s'oriente vers l'acquisition d'œuvres contemporaines. D'une part, ce nouveau programme s'inscrit dans le sillon tracé par les artisans de l'intégration des arts à l'architecture; un chemin marqué par certaines ruptures et quelques audaces, comme les travaux de Pierre Granche au Musée d'art contemporain et de Betty Goodwin au Musée des beaux-arts. D'autre part, il puise en partie son inspiration dans les programmes déjà existants dans d'autres villes telles Toronto ou Philadelphie. Au-delà de ces considérations, cette initiative de la Ville de Montréal, démontrait une conscience du rôle important de l'art public dans la formulation de nouveaux espaces urbains. L'idée sous-jacente à ce programme était la conviction que l'artiste est capable d'apporter une vision et un point de vue sur la transformation des valeurs culturelles de la société.

Au plan pratique, plusieurs scénarios peuvent présider à l'élaboration de projets d'art public. D'abord, à chaque fois que la Ville aménage une nouvelle place ou un nouveau parc, elle considère la possibilité d'y intégrer l'intervention d'un artiste. C'est le cas de la place Berri. Autre scénario possible : la demande formulée par des groupes d'intérêt ou des regroupements de citoyens, comme cela s'est passé pour l'œuvre sur la paix, au parc Jarry. Une troisième possibilité peut naître des liens que Montréal entretient avec d'autres grandes villes. Ainsi, le pacte d'amitié scellé avec Lyon va donner lieu à un projet conjoint entre les deux villes. L'œuvre d'un artiste montréalais sera accueillie à Lyon, alors que Montréal ménagera une place à celle d'un artiste français. Par ailleurs, les célébrations du 350e anniversaire de Montréal ont incité d'autres villes comme Toronto et Paris à faire des dons d'œuvres d'art. Le projet de la place d'Youville illustre bien ce cas.

Mais quel qu'en soit l'origine ou le contexte, l'œuvre d'art trouve sa source dans l'interrogation même de l'artiste et dans sa vision très personnelle de la réalité. L'espace public est par nature un lieu de convergences, de confrontations et de contradictions. L'urbaniste et l'architecte mettent en scène ces éléments contradictoires, en proposant des équilibres, des séparations, afin de donner au paysage urbain plusieurs sens possibles. L'œuvre d'art intervient comme un levier dans ce système de confrontations. Elle accentue les convergences, donne un sens aux ruptures, exprime une vision métaphorique du lieu. Elle marque et détermine l'espace. *Les leçons singulières* de Michel Goulet nous fournissent l'exemple d'une réalisation qui prend en charge le vécu des gens, en élaborant une métaphore des relations humaines. Melvin Charney, à la place Berri, propose une narration des grandes composantes du paysage urbain de Montréal. *Caesura* de Linda Covit, au parc Jarry, remet en question le sens que nous donnons à la paix et le réinscrit dans une perspective d'harmonie individuelle.

L'œuvre installée dans l'espace urbain, par opposition à celle qu'abrite un musée, est nécessairement confrontée : d'abord au vandalisme et aux intempéries, mais aussi à l'environnement, qu'il s'agisse des éléments fonctionnels du paysage urbain, comme les lampadaires, la signalisation, la variété architecturale de l'encadrement, la circulation piétonne et automobile. Par ailleurs, elle s'impose au regard du passant qui ne peut l'ignorer, alors que dans un musée elle se trouve protégée et vue par un spectateur qui a fait le choix de la considérer.

La confrontation constitue non seulement l'essence de la rencontre entre l'art et l'espace urbain mais la nature même de l'œuvre d'art dans la mesure où elle met en évidence les changements et les interrogations. Si on veut que l'art dit «public» prenne tout son sens, il faudra accepter la polémique et entendre le discours critique que nous proposent des créateurs comme Linda Covit, Melvin Charney et Michel Goulet dans leurs réalisations les plus récentes.

Claude-Odile Maillard, Niort

REQUALIFICATION DU CENTRE-VILLE DE NIORT

Niort est une ville de 60 000 habitants, de l'Ouest de la France, dans la région Poitou-Charentes. C'est une ville moyenne qui, à partir de la création de la Mutuelle des instituteurs en 1934, est devenue la capitale des mutuelles d'assurance en France. Elle présente un centre-ville qui a conservé la structure des voies du Moyen Âge sur deux collines, mais dont le bâti a été presque entièrement reconstitué en pierre calcaire de la région à partir du XIXe siècle. Ce quartier central garde aujourd'hui une grande homogénéité architecturale, bien que certains de ses éléments soient très délabrés, beaucoup d'habitants ayant préféré habiter un pavillon en périphérie. Entre ces deux collines, l'artère commerciale principale du centre-ville relie, d'un côté, la Sèvre, la rivière qui traverse la ville et irrigue le marais Poitevin avant de rejoindre l'océan, et, de l'autre, une gigantesque place consacrée exclusivement au stationnement des voitures. Cette rue comporte une partie étroite, la rue Ricard, et une plus large, la rue Victor-Hugo, qui a un petit peu la forme rectangulaire de la place d'Youville et sur laquelle, d'ailleurs, on avait autrefois édifié des halles. C'est donc cette artère qui a fait l'objet du concours dont l'architecte Hondelatte a été le lauréat.

Le point de départ de cette action fut un événement accidentel. Une maison en péril, au centre même de l'axe constitué par les rues Victor-Hugo et Ricard, a exigé une intervention rapide. Pour des raisons de sécurité, il a fallu imposer la construction d'échafaudages et d'éléments de soutènement, avec pour conséquence de ne laisser qu'un seul sens de circulation. Cet incident a offert une occasion dont la municipalité s'est saisie, puisqu'en raison de l'étroitesse de la rue Ricard, rien ne pouvait se faire en maintenant les deux sens de circulation.

81

Face à cette situation, l'action publique était très délicate à mener et comportait un certain nombre de difficultés. Il s'agit d'abord d'un lieu chargé d'affectivité, où les désirs contradictoires de conservation du patrimoine et de rénovation s'affrontent. Un telle intervention ne peut se mener que dans la concertation avec les usagers et les citoyens, les commerçants du centre-ville. Dans ce cas de figure, ces derniers constituent une catégorie particulière vu leur tendance à faire écran à l'expression de l'opinion publique dans son ensemble. Par ailleurs, la concertation publique ne doit pas, bien sûr, conduire le concepteur choisi à renoncer à l'essence de sa vision. Troisième difficulté : le choix d'un projet à fort contenu artistique ne doit pas mener à une guerre de tranchée avec les services techniques de la ville; cela induirait une réaction de rejet qui, au-delà des groupes concernés, serait tout à fait préjudiciable à la réussite de l'intervention. Enfin, j'ajouterais la question des délais de réalisation qui perturbent la lisibilité d'un projet et compliquent un peu la vie des élus par rapport à l'opinion publique.

À Niort, nous avions décidé d'effectuer des travaux de réseaux indispensables sous la voirie tout en perturbant le moins possible la vie commerciale. Le choix de ce calendrier a entraîné un décalage dans la livraison du mobilier urbain dont chaque élément constitue un ouvrage d'art. À la fin de l'été 1992, les éléments de ce mobilier n'étaient pas encore installés, alors que le revêtement se trouvait terminé depuis le mois de juin. À ces difficultés s'est ajoutée une appropriation, si je peux me permettre d'utiliser ce terme, d'une partie du lieu par des groupes de jeunes marginaux. Ceci m'amène à penser, que la rue Victor-Hugo est devenue un lieu où il fait bon défier les autorités depuis que la municipalité a décidé d'y intervenir. Ces problèmes que je viens de relever n'ont jamais été des obstacles puisque la concertation a réellement eu lieu : au moment du choix du concepteur ainsi que pendant toute la période d'élaboration du projet . Quant au souvenir des délais de réalisation, il sera vite effacé après l'achèvement définitif de l'opération. Mais ce qu'il faut surtout souligner, c'est que la réalisation de ce projet à Niort n'aurait pas été possible sans le rôle déterminant qu'a joué la commande publique et, en particulier, le délégué aux Arts plastiques au ministère de la Culture, François Barré, qui a lui-même participé au jury du concours. Sa présence a permis d'assurer, à toutes les étapes de l'avancement du projet, une garantie de qualité très précieuse pour la municipalité. La participation financière de l'État nous a permis de nous engager dans cette réalisation en innovant à beaucoup d'égards. Ce projet sera pour nous riche d'enseignements, alors que d'autres chantiers nous attendent à Niort : la place Saint-Jean, à l'entrée du centre-ville, et aussi la place de la Brèche, ce gigantesque espace dont je parlais au début et qui est, aujourd'hui, entièrement voué à l'automobile. Nous souhaitons, pour ces futures entreprises, poursuivre dans la même voie.

83

Jacques Hondelatte, Bordeaux

NIORT : ENTRE ART ET AMÉNAGEMENT URBAIN

Avant de présenter le projet de Niort, je souhaiterais proposer quelques réflexions qui permettront certainement de mieux comprendre ma démarche. J'ai commencé à travailler en architecture et en urbanisme à la fin des années 1960 et pendant les années 1970, au sein d'une D.D.E. (Direction départementale de l'équipement) et au Centre d'étude technique de l'équipement. J'ai ainsi fait pas mal d'urbanisme réglementaire et opérationnel. Je travaillais dans le cadre de ce qui s'appelait, à l'époque, «la politique des villes moyennes». J'ai donc appris dans ces administrations, tout comme à l'université avant, comment on faisait de l'urbanisme, comment il fallait s'y prendre. On m'a enseigné à consigner dans de très beaux tableaux, des colonnes verticales et horizontales, toutes les choses qu'il faut prendre en compte pour faire des plans d'urbanisme et mettre en place des règlements. On me disait alors qu'il était important de considérer le terrain, les phénomènes de circulation, les phénomènes de climat, les phénomènes d'accessibilité, les phénomènes économiques, les phénomènes humains, tout un «listing» de choses très passionnantes.

Pendant plusieurs années donc, j'ai fait de l'urbanisme suivant un certain nombre de méthodes très évoluées de ce type. En général, la première des colonnes préconisait que, pour construire une ville, le site soit constructible. Puis un jour, je suis allé à Venise et, du point de vue du terrain, Venise m'a posé un petit problème! On m'avait aussi dit que le plan de la ville devait être cohérent avec la topographie. Je suis allé à San Francisco, une ville que j'adore. Or, San Francisco est une ville au relief accidenté avec un plan quadrillé! Je me suis finalement aperçu que de telles aberrations dans la méthode d'urbanisme étaient ce qui faisait tout le charme de Venise et de San Francisco. D'ailleurs, c'est parce que la ville est en montagnes russes et que son plan est à angle droit que l'on a imaginé à San Francisco un transport en commun tout à fait intéressant : le tramway, élément incontestable du charme de la ville. Dès lors, je me suis dit que malgré tous les tableaux que l'on m'avait appris pour faire des villes intéressantes, il s'agissait peut-être de faire exactement le contraire de ce que dictait la méthode.

Puis on me parlait de climat : il fallait qu'il fasse bon dans les villes. Je suis venu à Montréal en décembre et, le mois suivant, je suis allé à Chicago. Or, on est très bien dans ces villes quand il fait pourtant très froid. On m'avait encore parlé d'accessibilité. Je suis allé au Yémen, plus exactement à Aden, qui est sans doute la plus belle ville du monde. Pour s'y rendre, il faut emprunter un escalier qui fait 2 000 mètres de dénivelé! On m'avait dit aussi qu'il fallait que les centres urbains soient bien identifiés, car une ville c'est fait pour se rencontrer. Or je suis allé à Houston – j'y enseigne l'architecture et j'y retournerai souvent car c'est une ville extraordinaire –, et j'ai vu qu'il y a là un centre-ville, un centre des affaires, rempli de monde de huit heures du matin à cinq heures du soir, mais où, la nuit, il n'y a rigoureusement personne. Dès le premier soir, les étudiants m'ont conduit dans les lieux de vie et de rencontre de Houston. On les trouve à une dizaine de kilomètres du centre apparent de la ville. Quelque part, à un croisement d'avenues ou de rues, on découvre un certain nombre de restaurants mexicains, de bistros à bière et d'autres lieux où il y a énormément de monde : c'est une fête formidable, nous y avons passé une soirée extraordinaire! Le lendemain, les étudiants m'ont emmené dans un autre endroit, au sud de la ville cette fois. Là, ce fut la même chose;

un centre, un croisement de rues, des bars à bière avec des restaurants mexicains et chinois, et puis un monde fou qui s'amusait toute la nuit. C'était très bien. Le surlendemain, même scénario dans un autre endroit de la ville. Puis, après avoir loué une voiture, recherchant peut-être le regard d'une très belle femme que j'avais croisée le premier soir, j'y suis retourné. Mais bizarrement il n'y avait plus personne, l'endroit était parfaitement désert. Je me suis fait expliquer qu'à ces croisements, un jour par semaine, on vendait la bière à moitié prix. J'ai immédiatement pensé que le prix de la bière comme médium d'urbanisme était une idée tout à fait intéressante... Plus tard, je suis allé à 250 kilomètres de Houston dans une ville qui s'appelle San Antonio. J'adore les villes et je suis toujours étonné de constater qu'elles sont toutes faites de la même façon; en Europe, il y a un fleuve, il y a des maisons et des rues, en général sur un tracé médiéval, puis il y a des places et des jardins, et enfin un centre avec ses commerces. Toutes les villes finalement sont pareilles et elles sont pourtant tellement différentes : elles ont toutes un caractère distinct, certaines sont sympathiques, d'autres non; elles ont toutes une personnalité totalement autonome. Cela me fascine! À San Antonio comme à Houston, un bayou traverse la ville; il y a un centre-ville avec de hauts gratte-ciel et puis, il y a une périphérie telle qu'on la connaît. Or, bizarrement, à San Antonio, la ville ne vit pas du tout comme à Houston, parce que le centre-ville est très animé la nuit. Il faut savoir que la ville est bâtie autour des ruines de Fort Alamo. C'est sans doute cela qui a changé complètement la cité. Dans les années 1970, on disait qu'il fallait être en bonne relation avec le contexte. Pourtant, Fort Alamo qui était autrefois en pleine campagne, dans la nature, se trouve maintenant au beau milieu des gratte-ciel, et le mélange marche très bien.

À Niort, on m'a demandé de participer à un concours restreint que j'ai trouvé très intéressant parce que le thème était posé de façon extrêmement claire, ce qui est assez rare. C'était un concours d'idées : on demandait à un certain nombre de concepteurs de fournir des idées, non pas simplement sur les deux rues commerçantes du centre-ville, mais sur une zone quelque peu plus large. Il s'agissait de faire des propositions pour donner plus de caractère à cette ville, qui, il faut bien le dire, en manquait un peu. Dans ce genre d'épreuve, tout se passe un peu comme au tiercé : on gagne ou on perd. Cependant, la Ville avait bien indiqué dans son règlement qu'elle avait une responsabilité morale vis-à-vis du concepteur lauréat, mais sans trop insister sur cet engagement. Avant de répondre au concours d'aménagement du centre-ville, j'ai d'abord observé autour de moi.

À Bordeaux, une ville que j'aime beaucoup, j'ai regardé comment les gens, depuis quelques années, avaient aménagé la partie la plus centrale du centre-ville, celle qu'on appelait autrefois le Triangle. Quand j'étais étudiant, il était de bon ton, dans la journée, d'en faire le tour dans le sens inverse des aiguilles d'une montre pour faire du «magasinage», comme on dit au Québec, et, le soir, c'était un lieu de promenade très fréquenté par les Bordelais. Comme il y avait beaucoup de monde et que cela fonctionnait très bien, il a fallu aménager! Évidemment, en France, quand tout marche bien, on aménage. Vu que le centre attirait beaucoup de gens, cela occasionnait des problèmes de stationnement sur les allées du Tourny. Aussi, on a bâti un très grand parking de 1 500 places, une construction surmontée d'une sorte d'agora avec des bancs en rond pour que les gens se rencontrent (parce que quand on se rencontre, on est assis et on est en rond!). La conséquence immédiate de ces travaux, c'est que tout ce rite du Triangle a complètement disparu. L'aménagement fait en vue d'améliorer la situation a produit exactement le contraire de ce qu'on attendait.

Toujours à Bordeaux, il y a une rue qui est très longue, pas très large, et même très droite : elle traverse toute la ville et regroupe tous les commerces. Elle s'appelle la rue Sainte-Catherine. Il y a quelque temps, comme tout marchait très bien, on a aménagé la rue Sainte-Catherine : on l'a rendue piétonne, on a installé des lampadaires ainsi que quelques bancs et on a planté des arbres. Ce qui m'a fasciné dans cette intervention, c'est le sort de la place St Projet, une place assez chic, assez bourgeoise avec ses commerces de luxe. On y a donc fait un aménagement très soigné, avec des bancs, des fleurs, des arbres, beaucoup de choses très bien et très chères. Maintenant, cette place sert davantage au commerce des seringues et des jeans ; c'est l'endroit le plus mal famé de Bordeaux, avec des gens aux cheveux de couleurs bizarres. De l'autre côté, au bas de la rue Sainte-Catherine, il y avait une place triangulaire, nommée la place des Augustins. Autrefois, c'était essentiellement un quartier arabe et espagnol avec beaucoup de magasins de jeans. On y a fait un aménagement tout à fait minimal avec un dallage en pierre au sol. Maintenant, quantité de bistros s'y sont installés et c'est devenu l'endroit le plus branché de Bordeaux où toute la jeunesse dorée vient perdre ses nuits. Encore un peu plus bas, il y a la place de la Victoire qui est depuis longtemps une place étudiante. Le problème était qu'elle formait un grand rond-point autour duquel une foule de motards venaient tourner à toute vitesse, les vendredis soirs. Les voisins n'étaient pas contents. Alors, évidemment, comme une place c'est fait pour se rencontrer, et qu'il y avait là des gens qui se rencontraient, on a aménagé. On a supprimé le grand cercle où tout se passait à peu près bien et on a tracé des voies pour les voitures, des voies pour les piétons, des voies pour les personnes âgées, des voies pour les handicapés. Aujourd'hui, tout est canalisé, mais on ne comprend plus rien. En fait, c'est très bien parce que, contrairement à ce qui avait été imaginé, on n'a pas du tout cassé ce qui s'y passait, bien au contraire. L'endroit est devenu une espèce de monument de réaction à l'urbanisme. J'adore les villes qui résistent, et il est étonnant de voir combien les piétons ont la capacité de briser des chaînes d'acier et des massifs de béton gênants. Je trouve que c'est une très grande réussite d'aménagement quand cela se passe finalement de façon aussi libre.

Cette longue réflexion préliminaire pour dire que suis arrivé le jour de l'oral du concours de Niort en affirmant que je ne croyais pas trop à l'aménagement, étant convaincu que cela servait essentiellement la bureaucratie et l'autocratie. Je voulais plutôt rester très modeste et très humble vis-à-vis de cette ville qui finalement fonctionnait très bien. J'ai expliqué au jury que mon intervention ne visait absolument pas ces méthodes, mais qu'au contraire, je suggérais d'installer, en certains endroits, quelques objets qui amèneraient davantage de rêve, davantage de mythe, davantage d'histoires – avec un «s» – à la ville.

Le premier objet que j'ai proposé était une sorte d'horloge, un peu compliquée, faite d'une succession de nappes de verre de transparence bizarre. L'objet, qui comportait, à gauche, un système de cadran lumineux affichant l'heure, devait être incrusté dans le sol. Il fallait être très initié pour savoir lire l'heure, mais je crois qu'il est important d'apprendre à se servir de tels objets.

Dans un autre endroit, monsieur le maire de Niort nous avait demandé de travailler sur le thème de l'eau. J'ai proposé d'y installer une fontaine évoquant une vieille dame que nous avions rencontrée là, tandis qu'elle portait des bouteilles d'eau minérale.

Sur une place de Niort, il y a actuellement deux cabines téléphoniques préfabriquées qui ne sont pas très jolies. Nous avons imaginé de placer deux cabines sur une île à laquelle on accéderait par de petits escaliers bordés par un grand mur d'eau, le bruit de l'eau servant de fond sonore aux conversations téléphoniques. Nous avons appelé cela le lieu de tous les mensonges : «Chérie, je t'appelle de Niagara Falls!»

Nous avons proposé également des garages pour les vélos. Ces structures côtoyaient des tours en terre cuite animées de tiges métalliques dont les mouvements au vent produisaient une musique aléatoire.

Le long de la place de la Brèche, nous avons conçu une sorte d'estrade supportant des sanitaires publics. Il faut dire que j'ai dessiné ce projet avec la collaboration d'un jeune architecte britannique – ces gens ont une autre notion de la pudeur que nous. D'où l'idée de ce grand mur qui traverse toutes les cabines et crée une cascade à l'extérieur lorsque quelqu'un actionne la chasse d'eau. Vous le croirez ou non, mais j'ai gagné le concours avec de telles idées!

Lorsque, par la suite, on m'a confié les travaux de la rue Ricard et de la rue Victor-Hugo, il a fallu changer les canalisations, casser tout ce qui existait. Mon projet s'est donc vu immédiatement contrarié.

1

Comme j'ai horreur de ces pavages de toutes les couleurs dont on couvre la France depuis quelques années, nous avons proposé de mettre dans ces deux rues un revêtement unique. Une intervention très banale et très économique puisque, comme les revêtements d'autoroute, il s'agit essentiellement d'un enrobé d'asphalte. Mais nous avons voulu apporter quelque chose de plus en utilisant le «Glasasphalt», un matériau dont on revêt actuellement les rues de New York et dans lequel une partie des agrégats est remplacée par du verre de récupération. Il y a, je crois, une chanson québécoise qui parle d'un animal dont le poil brille comme les rues de New York après la pluie. En fait, ce n'est pas la pluie, mais le verre qui fait briller le revêtement à New York! Nous avons donc utilisé ce «Glasasphalt» comme base sur laquelle nous avons posé un certain nombre d'objets peu conventionnels. (Fig. 1).

2

3

4

Dans la première partie, c'est-à-dire dans la rue la plus étroite, il s'agissait simplement d'empêcher les voitures d'aller sur le trottoir. Devant chez moi, à Bordeaux, il y a des bornes à cet effet. À Niort, nous avons proposé la même chose avec quatre grands dragons de 150 mètres de long réalisés en bronze. Leur taille est impressionnante. Nous avons d'abord conçu l'image sur ordinateur et, par la suite, nous avons tenté de reprendre dans le bronze toutes les aberrations de l'image informatique. (Fig. 2).

À l'intersection des rues, il y a simplement des places de station-nement matérialisées au sol par des sortes de barrettes en aluminium sur lesquelles sont gravées de très belles phrases concernant la ville. Ce sont des extraits des «Villes invisibles» d'Italo Calvino : un très grand livre d'urbanisme que je recommande à tous mes étudiants. (Fig. 3).

À gauche, pour empêcher les voitures d'aller sur les trottoirs, il y a ce que nous appelons des «bricoles». Ce sont des colonnes en aluminium de 2,20 mètres de haut, qui sont laquées blanc et bleu et surmontées d'un chapeau en laiton massif. Elles rappellent un peu Venise. Or, il se trouve que l'on surnomme Niort «la Venise verte» à cause des canaux. (Fig. 4).

93

Nous avons trouvé dans l'histoire de Niort des légendes de soldats qui se battaient avec des dragons. Du même coup, le dragon est devenu une sorte d'emblème de la ville. Je crois d'ailleurs que la mairie lancera très bientôt une exposition sur le thème du dragon.

Finalement, parmi les objets imaginés pour Niort, nous avons proposé d'installer quatre fontaines de couleurs décroissantes et de grandeurs homothétiques dans l'axe d'un centre commercial, un peu oblique par rapport à la rue. La première est en marbre rouge et la dernière en marbre blanc.

LA PLACE DES TERREAUX À LYON :
RÉVÉLER UN LIEU

Fruit d'une association avec Christian Drevet, architecte lyonnais, l'aménagement urbain dont je vais donner un aperçu fut le lauréat d'un concours organisé par la municipalité de Lyon. Le thème en était la réorganisation de la célèbre place des Terreaux, en plein cœur de la cité, en un lieu où est inscrite une partie de l'histoire de la ville et où se manifestent différents aspects géographiques très importants.

La place des Terreaux est située sur une île cernée par les deux cours d'eau qui traversent Lyon, à savoir la Saône et le Rhône. Elle est adossée à une colline qui s'appelle la Croix-Rousse. Cette place est très longue et elle est bordée par quatre types de construction très différents les uns des autres. D'un côté, il y a l'hôtel de ville, abritant le pouvoir municipal, suivi immédiatement d'un ancien couvent devenu le musée Saint-Pierre, un établissement du pouvoir ecclésiastique transformé en centre des arts et de la culture. En face de l'hôtel de ville, un autre bâtiment très différent s'appelle le Massif des Terreaux ou le Passage des Terreaux : c'est une construction bourgeoise logeant une grande galerie marchande. Sur l'autre côté de la place, en face du musée Saint-Pierre, adossée à la colline de la Croix-Rousse, on trouve une série de bâtiments tout à fait hétéroclites, qui sont en fait des habitations, des constructions correspondant à l'arrivée de la ville populaire dans ce cœur du pouvoir administratif. La place des Terreaux est un des centres initiaux du déploiement de la ville et il reste, aujourd'hui, un des centres les plus importants. Pour l'instant, cette place est très mal utilisée; personne ne peut vraiment y rester étant donné le flux incessant des voitures. De plus, le milieu est peu confortable et ne favorise certainement pas la promenade,

95

Projet pour la place des Terreaux, Lyon, aménagement de Daniel Buren, associé à l'architecte Christian Drevet ni la rêverie; on va juste y prendre son taxi, son métro ou son autobus.

Avant de présenter le projet, il faut préciser quelques données du concours. Le programme prévoyait de supprimer une partie de la circulation en la limitant à deux côtés et, de plus, en la réservant seulement aux autobus et aux taxis. Au milieu, à l'une des extrémités, occultant la galerie des Terreaux, il y a une énorme sculpture-fontaine de Bartoldi, l'unique objet visiblement important de cette place, qu'il était permis, à la rigueur, de déplacer, mais en aucun cas, de déloger. Cet impératif du programme était donc une donnée très importante avec laquelle il fallait composer. Je trouvais très intéressant d'avoir, entre autres, cette contrainte d'un objet existant, très présent non seulement physiquement, mais aussi dans la mémoire des Lyonnais, bien qu'en soi, cette sculpture-fontaine représente un frein, un obstacle à tout ajout d'un autre objet sur la place, en plus de n'être pas un chef-d'œuvre.

Dans le projet, on remarquera d'abord que la première chose qui dessine et prend en compte le grand axe est-ouest rejoignant les deux fleuves, c'est un maillage axé sur le musée Saint-Pierre. Cette trame hors-concours, nous la faisons aller complètement de la partie Saône à la partie Rhône : elle représente la possibilité idéale de pouvoir faire sentir cette liaison entre les deux cours d'eau. Soulignons que, comme dans presque toutes les villes, le monument au centre de la place n'a pas été fait pour ce lieu : il y a été déplacé. Il a même fallu à peu près trente-cinq ans pour l'y ériger. Cette sculpture lauréate a été conçue par Bartoldi quand il était très jeune dans le cadre d'un concours organisé à Bordeaux – elle était supposée représenter la Garonne –, mais la Ville a finalement refusé qu'elle soit réalisée. Une trentaine d'années plus tard, Bartoldi décida de mener son projet à exécution. Il avait vieilli et avait plus de possibilités. Il la montra ensuite à l'Exposition universelle de 1889, où le maire de Lyon trouva l'objet intéressant et décida de l'acquérir pour sa ville. Mais il s'est passé pas mal de temps avant qu'on ne lui trouve un emplacement définitif. Toute cette petite histoire montre que la sculpture-fontaine, qui s'érige au milieu de la place des Terreaux, n'a pas été dessinée pour ce lieu, même si sa localisation a été choisie parmi une bonne dizaine de possibilités, et même si elle respecte les suggestions du sculpteur lui-même! Aussi, le fait de déplacer cet objet de quelques mètres n'est pas un geste scandaleux allant contre l'histoire de l'œuvre, il me semble.

Notons que cette statue a une direction : l'eau crache en un éventail ouvert et les chevaux qui la constituent forment un angle. La localisation actuelle de la sculpture-fontaine, face à l'hôtel de ville, ne met absolument pas en valeur le déploiement des chevaux sur l'eau. C'est notre opinion, bien sûr, et je dirais, d'une façon encore plus convaincue, qu'elle n'accentue pas le sens de l'eau. Si on imagine l'arrivée de l'eau au pied de la colline de la Croix-Rousse et si l'on se figure, à droite et à gauche, le Rhône et la Saone qui descendent du nord vers le sud, il me semble que le fait de faire pivoter cette fontaine pour l'adosser à la Croix-Rousse redonnerait le sentiment de se trouver entre deux cours d'eau. Dans la mesure où la fontaine est surélevée et relocalisée dans la logique de l'écoulement des eaux, il serait là tout à fait possible de voir l'eau déboucher et sortir de la montagne, ce qui est quand même la façon habituelle dont les sources jaillissent. L'autre avantage de déplacer cet objet serait de recréer, d'une façon tout à fait visuelle et pas du tout symbolique, cet axe qui s'en va d'un fleuve à l'autre et qui est à l'heure actuelle complètement bouché.

Dans ce concours, le budget strictement établi était identique pour tous les concurrents. Or le seul fait de bouger la fontaine coûte évidemment très cher. L'occasion qui nous permet de faire cette manœuvre, c'est l'excavation du sous-sol de la place en vue d'y créer un énorme parking souterrain. Ces travaux d'infrastructure nécessitent le déplacement de la statue d'une vingtaine de mètres afin d'éviter qu'elle ne s'effondre. Aussi, dans le projet que nous avons présenté, les frais liés à la relocalisation de la sculpture ne sont pas comptabilisés; ils sont imputés aux entrepreneurs du parking qui doivent nécessairement effectuer une semblable opération.

Revenons au maillage. Reprenant le rythme du palais Saint-Pierre, cette trame a d'abord été mise au carré sur toute la place et ensuite relevée. Quand on débouche sur la Croix-Rousse et qu'on voit la sculpture-fontaine de Bartoldi, déplacée, on la découvre adossée aux maisons ainsi qu'à la grille qui, relevée, forme encore une série de portes. Cette idée dérive de faits très connus des Lyonnais, à savoir que le flanc de la colline est entièrement percé de passages que l'on appelle des «traboules». Ces galeries souterraines, qui longtemps sont restées le secret des habitants – même la police ne s'y aventurait pas –, ont eu de nombreuses utilisations au cours des siècles. Aujourd'hui, publiques, elles permettent de traverser toute une partie de la colline, du pied de la place des Terreaux jusqu'au sommet. Le relevé de la trame symbolise d'une certaine façon ces multiples entrées. L'autre avantage de la mise en place de cette grille, c'est finalement de créer une sorte de perspective lorsqu'on arrive depuis les rues adjacentes.

Un autre point important du projet, c'est que le seul objet installé sur la place est l'énorme sculpture de Bartoldi. Par ailleurs, il y aura d'autres objets qui seront très visibles en fonction et tout à fait inexistants hors-fonction. Il faut savoir que la trame définit une série de fontaines carrées, 70 environ, qui ne seront pas encastrées plus profondément qu'à trois centimètres dans le sol. Lorsque les fontaines ne seront pas en activité, les gens pourront marcher sur toute la place à leur gré. En usage, ces fontaines vont créer une sorte de résurgence, au niveau du sol, de la place de l'eau dans la sculpture de Bartoldi. Il faut compter aussi sur le bruit produit par ces fontaines et sur la possibilité de se cacher ou de se promener au milieu de ces colonnes d'eau. En hiver, les fontaines étant inactives, le sol de la place est redonné à la libre circulation des piétons, tandis qu'en été, l'eau remplissant ces carrés créera une démultiplication de miroirs reflétant le ciel et les bâtiments alentour. En outre, cet aménagement devrait offrir un endroit de fraîcheur sur cette place orientée plein sud.

Tous les éléments qui se relèvent ou qui peuvent être utilisés, tels les portiques par exemple, seront pris dans la trame, tout comme ces sortes de sièges tout à fait banals, installés aux endroits les plus opportuns. Sorte de matérialisation du maillage, ils offriront quelques lieux où les gens pourront se reposer s'ils le désirent, sans que rien ne soit ajouté comme mobilier urbain. Évidemment, du côté de la Croix-Rousse, il y a déjà quelques cafés. Dans l'idée de cette transformation, tous les commerçants auront donc un accès direct sur cette plate-forme puisqu'il n'y aura plus de circulation. En vue de permettre le déplacement des autobus et des taxis, nous avons redessiné les feux de circulation en employant des matériaux produits à Lyon : ces éléments en fibre de verre seront à la fois très simples et très légers. Le relevé de la trame permet encore de constituer une sorte de galerie, une rue artificielle dans la place, un tracé qui reprend d'une certaine façon les galeries à l'italienne. Lyon a reçu beaucoup d'influences transalpines : des vestiges et des objets très caractéristiques du Nord de l'Italie y sont encore visibles aujourd'hui.

Dans ce projet, il y a finalement tout un travail sur la lumière. Celui-ci n'est pas identique à ce que j'ai pu faire au Palais Royal, mais, dans un même esprit, il ne cherche pas tant à éclairer la place que les objets. Tout en permettant une signalisation précise des bâtiments, la lumière s'affirmera comme un objet différent, au lieu de montrer le mieux possible la nuit ce que l'on voit déjà le jour.

LA «PLACE BERRI» À MONTRÉAL

L'expérience de la place Berri (nommée Émilie-Gamelin en 1995) me paraît intéressante à relater sous l'angle de la production parce qu'elle constitue un précédent dans la manière de «faire» l'espace public à Montréal.

Le premier élément qui distingue le projet de la place Berri des autres réalisations municipales réside dans le fait que la Ville de Montréal ait fait appel à des professionnels du secteur privé pour la conception de cette nouvelle place publique, alors qu'elle confie généralement le design et la réalisation de ses espaces publics à ses services municipaux. L'initiative du Module des parcs, de l'horticulture et des sciences (Service des loisirs et du développement communautaire de la Ville de Montréal), d'avoir recours à des compétences externes était motivée par une volonté d'enrichir et de renouveler la vision et le savoir-faire internes en matière de conception des espaces publics. Par ailleurs, l'importance stratégique de la place Berri, en cette veille des Célébrations du 350ᵉ anniversaire de Montréal, offrait une occasion justifiée et privilégiée pour expérimenter une nouvelle façon de faire.

Dans le cadre de la réalisation de ce projet, le Module des parcs, de l'horticulture et des sciences a agi comme chef de file, tout en assurant une liaison soutenue avec l'ensemble des services municipaux concernés, notamment :

1. le Service de l'habitation et du développement urbain qui devait statuer sur la vocation de l'espace en question;

2. la Commission d'initiative et de développement culturels, responsable du programme d'art public;

3. le Service des travaux publics, de qui relevait les questions d'éclairage, de voirie et d'entretien;

Plan d'ensemble de la place Berri, Montréal, 1990, conçu par Peter Jacobs et Philippe Poullaouec-Gonidec, incluant l'emplacement de l'œuvre d'art public de l'artiste Melvin Charney

101

4. le Service de l'approvisionnement et des immeubles, chargé des achats et de l'architecture des bâtiments.

Pour notre part, c'est à titre de concepteurs, avec un statut de consultants externes, que Peter Jacobs et moi-même avons contribué à ce projet. De cette expérience singulière, je souhaite faire ressortir quelques attributs de notre concept de paysage initial, et ensuite les éléments problématiques du processus de production qui expliquent l'écart entre l'idée et le résultat, entre notre vision et sa matérialité.

Il nous importait d'élaborer un concept de paysage susceptible de traduire et de révéler les multiples intentions du projet. Notre première motivation était de créer une entité paysagère dont le sens réaffirmerait le local et permettrait de déployer divers événements. Le projet voulait ainsi volontairement échapper à une classification typologique traditionnelle des espaces publics montréalais. Il devenait une configuration spatiale qui posait l'ambiguïté de son appellation : plus qu'un simple «objet», à la fois «parc» et «place», l'espace Berri se définissait comme un espace protéiforme, une «place paysage».

Puiser principalement dans le paysage urbain et minimalement dans le lieu, tels étaient les attributs paysagers de la place Berri. En aucun cas, cet espace public ne devait être le dernier élément d'un décorum urbain pour parfaire l'ensemble. Au contraire, il se voulait le lieu par lequel s'énonceraient les expressions architecturales du quartier, le lieu comme nouveau point de départ de l'expression du paysage urbain et comme façonnement d'une nouvelle écriture de l'espace.

L'entité paysagère du site s'est définie par une lecture de l'environnement urbain et de ses spécificités montréalaises. Un «regard transposé» sur l'espace Berri nous a dévoilé certaines particularités esthétiques évoquant celles d'un autre lieu du paysage urbain montréalais : le flanc est du mont Royal, véritable plage urbaine, que s'est appropriée la population montréalaise. Durant la saison estivale, le versant gazonné de la montagne invite les flâneurs à se prélasser au soleil en regardant, au premier plan, les flots de circulation automobile sur l'avenue du Parc. Cette vue, brouillée par le va-et-vient incessant des voitures, est naturellement dirigée vers le second tableau, le parc Jeanne-Mance. Au troisième et dernier plan, le regard se perd dans la profondeur du paysage urbain, peut-être parce que cette perspective est la plus statique et en même temps la plus neutre des trois. Le flanc est de la montagne offre une expérience visuelle en trois temps, riche et diversifiée, à la fois contrastée et unifiée.

Transposition par analogie de cette évidence paysagère, le concept de la place Berri emprunte, au plan formel, les grands traits de la mise en scène que nous venons de décrire. D'une topographie similaire, les deux sites présentent une déclivité résultant d'un même phénomène géomorphologique : la présence d'une terrasse alluviale créée par le retrait de la mer de Champlain. De plus, l'espace Berri, tout comme le flanc est du mont Royal, donne sur une rue très significative de Montréal, la rue Sainte-Catherine qui se distingue elle aussi par un va-et-vient continu à toute heure de la journée.

Ces deux similitudes (topographie inclinée sur l'urbain spectaculaire) créent une situation paysagère non pas équivalente mais certainement comparable. L'analogie n'est toutefois pas utilisée dans l'optique de reconstruire sur l'espace Berri une scène miniaturisée du mont Royal, générant le duplicata et par conséquent l'équivoque. L'évocation est une épure : une suggestion minimale de l'expression.

L'esplanade au nord de la place Berri est le fond de scène à l'instar du chemin de Frederick Law Olmsted sur le mont Royal; le plan vert incliné s'associe au flanc gazonné, à la «plage», où l'on s'asseoit pour regarder le paysage de la ville; le plateau minéralisé horizontal traversant de part et d'autre la place est l'image de l'avenue du Parc. Au sud, le seuil de la rue Sainte-Catherine représente les formes brouillées et neutres de la ville. (Fig. 1 et 2).

Ici, l'analogie révélée ne conduit donc pas à la reproduction, mais plutôt à la réinvention de l'expression paysagère. L'aménagement de la place Berri puise son sens dans l'évocation paysagère d'une production aléatoire (le flanc est du mont Royal). Par ce parti pris de design, l'espace Berri suggère la découverte des actualités urbaines parce que la nature du référent appartient au quotidien (à l'instantanéité), c'est-à-dire aux representations sociales fortuites d'un moment.

Par ailleurs, ce projet de «place paysage» devait aussi prendre appui sur une nouvelle vision de l'administration municipale relativement à la mission économique de l'espace public, en tant que source de plus-value et de relance de l'activité immobilière et commerciale d'un quartier. À cela s'ajoutait la volonté de la Ville d'améliorer le cadre de vie des citoyens, de répondre aux attentes et aux besoins d'une industrie culturelle avide d'espaces pour se produire et de créer une nouvelle ponctuation culturelle dans l'espace montréalais, de façon à offrir un meilleur équilibre entre les vocations de l'ouest et de l'est de la métropole.

Nous avons poussé plus loin cette nouvelle vision économique en proposant que la place Berri devienne une vitrine du savoir-faire local et renforce le sentiment recherché d'appartenance culturelle. Notre projet initial proposait en effet la création de systèmes interactifs de communication, d'un mobilier urbain innovateur, de concours d'art horticole et d'aménagement hivernal. Ce cadre programmatique devait faire appel aux entreprises montréalaises, ce qui impliquait nécessairement des changements significatifs dans les pratiques de gestion municipale de même qu'une nouvelle forme de partenariat entre la Ville et le secteur privé (prévoyant la gestion de la patinoire par l'UQAM et l'exploitation du café terrasse par un restaurateur privé). Par ailleurs, ces idées de partenariat rejoignaient certaines expériences françaises d'aménagement urbain où les espaces publics sont les vitrines d'un faire-valoir local, les genres public et privé s'y côtoyant pour se confondre. Ce que l'on voit aujourd'hui, c'est une place dont l'aménagement représente le cadre général de la proposition, mais où la finalité du projet reste encore absente. Par finalité, nous entendons l'application des intentions conceptuelles qui font qu'un projet possède toute sa cohérence. Et pour qu'il y ait cohérence, il faut avoir en place tous les éléments du «puzzle», c'est-à-dire les tableaux floraux programmés, le café terrasse réalisé, le concept d'aménagement hivernal avec sa patinoire et les activités culturelles à longueur d'année, résultant d'ententes avec les institutions mitoyennes.

L'écart entre les intentions et le résultat est dû à plusieurs facteurs inhérents à la production de cet espace public, qui ont freiné la conception ou bien n'ont tout simplement pas permis l'aboutissement des idées. Trois points retiennent l'attention :

1. La méconnaissance du «projet de paysage» décrit précédemment. Notre volonté s'est heurtée à une vision «municipale», ancrée depuis plus de trente ans, selon laquelle «faire du paysage» se limite principalement à produire des espaces fonctionnels normalisés (socialement et techniquement) et, tout récemment, à encadrer les œuvres d'art dans les places publiques. Dans ce carcan, notre travail d'architecture de paysage était *de facto* confronté à la tradition du savoir-faire municipal aux plans conceptuel et technique (exemples : les normes de plantation des arbres et d'éclairage, la ventilation d'un budget non adapté aux objectifs d'un projet spécifique prévoyant la conception du mobilier urbain ainsi que des systèmes d'éclairage et d'affichage électronique) et au plan réglementaire (les politiques d'achat de la Ville pour le mobilier urbain).

2. L'absence de dialogue direct avec les élus municipaux (les décideurs publics) pour défendre les intentions de conception et discuter des questions budgétaires. Nous avons aussi été confrontés à un processus au cours duquel les idées pouvaient être remises en cause pour de multiples raisons (le projet avorté de construction des deux bâtiments a nécessité après coup l'élaboration d'un nouvel aménagement provisoire pour la façade sur la rue Sainte-Catherine). Cette planification par étapes a eu un effet déstabilisateur autant pour les concepteurs que pour les services municipaux.

3. Les contraintes reliées à un programme d'art public mis sur pied après la phase de conception de la place. Dans la planification du projet, nous avions le mandat de réaliser l'esquisse d'aménagement de la place (c'est-à-dire le parti pris conceptuel et formel de l'espace). Celle-ci, une fois acceptée par les élus, a servi de cadre pour énoncer le concours d'art public (au printemps 1990). Résultat, nous nous sommes retrouvés face à deux parti pris conceptuels et esthétiques : celui du paysage et celui de l'œuvre d'art. Et comme vous le savez, l'art du compromis est parfois difficile entre les concepteurs et l'artiste. De plus, la réciprocité des deux intentions porte en elle toute une ambiguïté : l'œuvre d'art est-elle là pour bonifier l'aménagement? Ou l'aménagement est-il là pour encadrer l'œuvre d'art? Ce problème est patent à Montréal. La place Roy en est l'exemple le plus significatif. Si l'on tient pour acquis qu'une conception paysagère publique peut être une œuvre en soi (et c'est ce que nous revendiquons), pourquoi y associer une deuxième œuvre? Pourrait-on concevoir, pour reprendre l'image de Bernard Lassus, d'intégrer un tableau de Magritte à un Mondrian pour le rendre encore plus beau? (...) La réponse est non, bien sûr! Si, dans la conception des espaces publics,

les architectes et les architectes paysagistes qualifient les lieux et la mémoire, l'ordre imaginaire et symbolique appartient à leur langage. Et, de plus en plus, ils demandent que leur intervention soit perçue comme un geste culturel à part entière. Par conséquent, dans la mesure où s'affirmerait une volonté de faire contribuer un artiste à un projet d'espace public, ne serait-il pas préférable de l'associer dès le départ pour formuler une œuvre cohérente, sans heurt?

Cette brève analyse critique du processus d'aménagement de la place Berri, depuis sa conception jusqu'à sa réalisation (on parle d'un projet amorcé en 1989 et terminé en 1992), nous révèle à quel point la gestion peut en être complexe. C'est un apprentissage qui suppose une collaboration étroite et un respect réciproque entre concepteurs, maîtres d'œuvre et décideurs publics.

Le projet Berri a en quelque sorte brisé les traditions de mise en œuvre de l'espace public à Montréal. Une nouvelle approche a permis de produire un objet qui reflète l'art du compromis entre des exigences sociales, techniques, esthétiques et financières plus ou moins contradictoires. Mises à part quelques règles du jeu à modifier, l'expérience de la place Berri demeure positive et prometteuse : le projet a démontré que non seulement les compétences des secteurs privé et public peuvent travailler ensemble à la production d'espaces publics, mais aussi que de cette collaboration peut surgir une grande capacité d'innovation.

LA «PLACE DES ÉCRITURES» À FIGEAC :
LE RÊVE DE CHAMPOLLION

Je vais vous raconter une histoire, l'histoire d'une commande publique avec ses aléas et les aspects humains que cette rencontre a suscités. Je vais tenter de vous définir le contexte, je vais vous parler des acteurs et des partenaires et, par ailleurs, soulever deux problèmes auxquels nous avons été confrontés : choisir le lieu, car il n'y avait pas a priori un endroit où placer une œuvre rendant hommage à Champollion; choisir l'artiste et préciser les contraintes imposées. Figeac est une ville très prégnante étant donné l'architecture ancienne, nouvellement rénovée. Deux grands hommes en sont originaires : le premier est Champollion et le second, que vous connaissez peut-être, est Charles Boyer.

Martin Malvy, le maire de Figeac, souhaitait que la commémoration du 200e anniversaire de la naissance de Champollion soit un événement marquant et il proposa à chacun d'y réfléchir. Le pâtissier a proposé d'inventer un gâteau appelé «Champollion». Le marchand de vin a dit : «On va faire un "kir" à base de vin de Cahors qu'on nommera "le Champollion".»

Ma fonction est de travailler avec des artistes contemporains, d'organiser des expositions; j'ai donc avancé l'idée d'une exposition. Mais l'art contemporain est-il compatible avec Champollion? En faisant cette proposition, j'avais en tête cette notion de commande publique dont on parlait beaucoup en 1989. Là, je dois rendre un hommage sensible à un collaborateur de François Barré, un homme qui vient de disparaître : Michel Troche. Il a joué un très grand rôle au départ puisque c'est lui qui a dit : «Tentez une commande publique. Faites la demande au ministère de la Culture.» Finalement, après quelques vicissitudes, nous nous sommes

Ex Libris, J.-F. Champollion», 1990, œuvre de Joseph Kosuth, installation permanente, place des Écritures, Figeac

109

décidés à le faire. Il n'était pas évident qu'une ville de 10 000 habitants, une petite ville donc, puisse bénéficier de ce programme. En fait, l'État qui n'avait jamais, au plan de la statuaire, reconnu Champollion, avait décidé d'honorer ce grand homme. Mais attention au mémorial! La France est couverte de monuments aux morts... Aussi quelques inquiétudes ont commencé à germer, car, il faut bien le dire, toutes les statues de nos grands hommes sont surtout honorées par les pigeons!

Figeac est encaissée entre différentes collines, au fond de la vallée où coule le Célé, un affluent du Lot. Tout y est très condensé : 95% des habitations du centre-ville sont sauve-gardées, ce qui laisse peu de place à un développement *intra muros*. Avant la réhabilitation du noyau, la ville se dépeuplait au profit des alentours car, bien sûr, réhabiliter, restaurer dans le style, coûte cher.

Dans le secteur sauvegardé, on a rénové sept kilomètres de façades et environ 700 à 800 logements sur les 1 700 qu'il comporte. Cette renaissance de Figeac a suscité des vocations d'historiens locaux, des associations de gens qui ont écrit à nouveau sur l'histoire de la ville. Elle a fait naître un désir de redécouverte des racines ainsi qu'un sentiment de fierté. Maintenant, il est rigoureusement interdit de toucher à quoi que ce soit : ce serait un crime de lèse-majesté. Un pareil contexte me semble assez difficile pour un artiste con-temporain : intervenir dans une telle ville pose des problèmes délicats. Certes, lorsqu'on monte une exposition dans un musée, les gens viennent ou ne viennent pas; ça intéresse ou n'intéresse pas; on critique ou on ne critique pas : ça n'a pas d'importance, c'est dans un lieu fermé, clos. Alors que là, attention!, c'est à la ville qu'on va toucher. Or cette ville a une esthétique très forte, certains disent même qu'elle est une œuvre d'art en soi...

J'entendais des remarques du genre : «Pas de juxtaposition d'une horreur contemporaine dans notre merveilleuse petite ville et dans tous nos merveilleux espaces!» En effet, la ville est remplie d'espaces intérieurs ou d'espaces recréés par l'imbrication de l'habitat. Les gens échangent beaucoup entre eux, ils sont très près les uns des autres : les rues étroites, les espaces intérieurs plutôt réduits favorisent une vie sociale intense.

Pour en venir à la commande elle-même, soulignons que les avis étaient partagés. Les élus disaient avec angoisse : «Attention, nous ne voulons pas participer à une bataille d'Hernani, il n'en est pas question à Figeac, méfions-nous!»

Les architectes nous répétaient . «Secteur sauvegardé, attention! On ne touche à aucune pierre.» Les habitants étaient inquiets. Enfin vint l'acceptation du principe de la commande publique par la Délégation aux arts plastiques (DAP) du ministère de la Culture. Là, François Barré s'est montré assez extraordinaire, laissant les choses se mettre en place sans rien bousculer.

Le premier problème que nous avons rencontré concernait le choix d'un lieu. L'œuvre est située au centre vivant de la ville. Si vous partez de la place Champollion et que vous descendez, vous arrivez à la Halle, lieu de concentration de la vie commerciale. Cette activité intense génère un problème de circulation entre les voitures et les piétons. Il était nécessaire d'aménager une circulation spécifiquement piétonne, compte tenu de l'étroitesse des rues. Donnant sur cette place Champollion, une impasse menait à un terrain vague avec au fond un pavillon du type années 1930 et la maison natale de Champollion qui abritait le musée portant son nom; plus bas encore, la Halle. Il était très tentant d'ouvrir et de créer cette circulation, de dégager cet espace pour

y placer la commande publique. Ici, les architectes sont inter-
venus. Leur rôle consistait à reconstruire l'habitat entourant
la place.

Le second problème avait trait au choix de l'artiste. Nous
n'avions pas les moyens d'un concours. C'est donc avec les
services de la DAP que nous avons choisi un artiste dont la
démarche portait sur le sens et le visible, sur le texte et l'écriture,
sa mise en représentation et son inscription dans l'espace.

Cet artiste est Joseph Kosuth. Mais celui-ci était inquiet
d'intervenir dans un centre historique. Il est venu voir. On lui
a montré, en montant sur un talus, le creux dans lequel il
aurait à intervenir. Joseph Kosuth a parfaitement compris les
lieux, la problématique et les contraintes.

Ces exigences mêmes ont peut-être été une des raisons de
la réussite de cette œuvre. Joseph Kosuth s'est complètement
adapté à la situation. Il ne fallait pas jouer sur l'esthétique
d'une réalisation, mais amener les passants à réfléchir sur
l'essence de l'écriture, jouer la charge émotionnelle des habitants par rapport à Champollion, par rapport à leurs racines
et à l'historicité de leur ville, donc, respecter la fibre profonde
des Figeacois. Il fallait également tenir compte des volumes,
des espaces de la ville imbriqués les uns dans les autres, ne
pas gêner les gestes quotidiens.

Kosuth a choisi de représenter, agrandie, la Pierre de
Rosette. La place créée à l'intérieur de l'îlot a 20 mètres de
long sur 10 de large. L'œuvre, fabriquée en granit noir du
Zimbabwe, mesure 11,17 mètres sur 8,60 mètres, soit un
agrandissement de près de dix fois l'original. Elle porte un texte
en trois écritures (hiéroglyphique, démotique et grecque),
reproduit à trois niveaux différents, tel un escalier à trois mar-
ches. Aujourd'hui, je dirais que cette œuvre est une réussite
parce que les gens marchent dessus, s'y arrêtent et y discu-

tent... Les Figeacois l'ont complètement acceptée... comme si elle avait toujours été là.

Notre exigence a porté ses fruits : le choix du lieu est lié à des fonctions sociales simples et quotidiennes; et les contraintes imposées à l'artiste, tel le refus de la statuaire, plus une recherche sur l'essence plutôt que sur l'esthétique, ont été respectées.

Hubert Tonka, Paris

L'ÉNIGME DE LA PLACE

Aujourd'hui, c'est pour moi le moment d'un bilan. Il est vrai que depuis quelques années, j'ai consacré mon temps à la promotion de l'architecture et du paysage, par choix, sachant que d'autres tâches étaient très bien accomplies par d'autres et que, dans le domaine de l'architecture particulièrement, après quelques périodes d'euphorie, on avait vécu des moments délicats et difficiles. Quand j'ai été informé du concours de la place d'Youville, j'ai pensé à toutes les places que l'on a ratées.

Dans l'histoire de l'espace urbain, la place est un mythe actif et étrange, parce qu'il parcourt les conceptions et les théories. La question de la place réapparaît épisodiquement au moment où d'autres questions se posent. Je crois donc qu'il faut prendre une certaine distance. Je vais parler d'une place que, sans doute, on ne rencontrera pas ou qui n'existe pas, et je vais essayer, suivant une technique utilisée dans certains domaines, de la réduire à sa plus simple expression en disant que son nom comporte son but : «avoir de la place». Un endroit qui semble être collectif, un lieu qui caractérise un quartier ou une ville, une évocation qui fait que les choses trouvent une représentation et qui, éventuellement, arrive à caractériser en nommant. Il ne semble pas possible qu'il y ait un lieu urbain, s'il n'y a pas de désignation. Simplement, finalement, être l'image du mot. Je crois qu'un des drames, dans l'application d'une certaine théorie de l'architecture internationale, vient de ce que l'on a perdu un peu les mots des choses. J'ai été conforté, surpris, étonné que le sujet soit peu attaqué de front. Allons aux faits, allons à l'essence des choses.

La place, effectivement, qu'est-ce que c'est? Ne serait-ce pas une excroissance en creux? N'est-ce pas dans le jeu entre

115

le dressé et l'effacement que la place trouve son lieu, dans la maîtrise du vide? Depuis une cinquantaine d'années, on ne construit rien, plus rien, ou du presque rien. Pas du plaisir, pas de ce vide très puissant, très fort, qu'ensuite on essaie de justifier en disant : «Mais là... c'est quelque chose; mais là, il s'est passé autre chose, etc...» Évidemment, cette ville que j'essaie de décrire ou qui a été décrite aujourd'hui, elle n'existe nulle part ailleurs que dans l'écran rétroactif de ma mémoire, de votre mémoire ou de notre mémoire. Elle est une construction mentale.

Je crois que si l'on se pose depuis quelque temps la question de la place, c'est en fait parce que l'on n'ose pas se poser la question : «Qu'est-ce que penser la ville?» Trop d'échecs peut-être, ou trop d'atermoiements, trop de séparations ou de divisions, de sorte que cette question nous a largement échappé. Sachant que nous nous souvenons de la ville, par cette opposition justement du dressé et de l'effacement, par cette opposition du système de voies qui distribue des parcelles privées, des croisements qui ne sont pas toujours des places, des lieux qui ne sont pas toujours définis, et souvent mixtes aussi, s'ensuit une autre question qu'on ne pose pas non plus avec beaucoup de franchise : «Qu'est-ce que créer la ville dans la ville?» Qu'est-ce qui peut faire, qu'à partir d'une ville, on crée la ville, puisque apparemment on a plein de villes, mais qu'en réalité, on n'a pas de villes du tout? On pourrait essayer d'y échapper encore une fois. On a bien essayé d'enlaidir le mot (ville) par conurbation. Il y en a plein, comme ça, de ces mots que je n'arrive pas à prononcer tant ils me font mal.

La création de la place est à mon sens au centre de toutes ces questions. Les fables, que j'ai entendues aujourd'hui, peuvent toutes se justifier d'ailleurs par ci, par là, par l'histoire, par intérêt, etc., mais elles décrivent pour moi un espace-temps dans lequel apparaissent des objets communs à tous les espaces-temps. Finalement, la différence entre ce monde ancien, un peu archaïque, qui est celui de la nostalgie, dont on vient de parler, et le nôtre, moderne, ne tiendrait pas tant dans les nouveaux objets. Je crois que là, il y a eu un leurre énorme de la théorie intitulée : matérialisation-dématérialisation. On a essayé de repousser les limites de l'*urbs* par un système métaphorique qui m'apparaît tout à fait limité dans la pensée théorique et conceptuelle de notre époque. On nous raconte que parce que la télévision est chez nous, on est dans l'espace public, assis dans son fauteuil. On nous raconte qu'il y a une jouissance de l'aéroport et de l'autoroute. Je crois qu'on a été un peu fort dans les termes sans rien résoudre d'un autre projet qui est plus globalisant, à savoir, la ville et sa représentation. Est-elle stellaire, est-elle internationale? En tous cas, elle dépasse largement le moment où les choses se posent. Car finalement, de quelle ville, de quel endroit et de quel moment gardons-nous la mémoire? Petite histoire grecque, un voyage en Italie, un passage chez Haussman, comme si on ne se rendait pas compte de ce qui se passait sous nos yeux. Nous sommes issus d'un monde où la ville était une concrétion, une cristallisation. La ville s'y faisait de façon relativement sauvage, et effectivement il y avait des délaissés, des lieux, des points. Penser la ville, c'était écarter la matière. Penser la ville, c'était la parer de bijoux, c'était ponctuer. Non pas ponctuer l'espace, mot étrange, mais ponctuer la mémoire, ponctuer le langage, ponctuer la langue. Ponctuer ce avec quoi on peut communiquer une sensation, un moment.

Ensuite, cette ville, elle a, nous dit-on, éclaté. Si notre imaginaire de l'espace public – celui qui était nourri vraiment à partir de la place dans un âge dit classique – était ce bloc, cette concrétion, cette densité de matière, la pensée était plutôt de l'ordre de la sculpture, on écartait la matière avec délicatesse. Par la suite, on est intervenu d'une façon plus brutale sur la ville. Parce que cette ville-là avait un petit intérêt toujours – vive la nostalgie – puisque les yeux n'allaient pas fouiner partout. Il va falloir attendre la philosophie des Lumières pour qu'une vision d'une certaine clarté de la ville s'installe, une notion qui va se développer au courant du XIXe siècle avec la rationalisation du travail pour nous faire une ville construite sur l'éclatement. Le XIXe siècle est pour moi le siècle qui, tout au début, a joué ce fameux Paris de Beaudelaire, étant parti du classique et parti du progrès ou de l'invention, et qui, petit à petit, va oublier les leçons pour commencer à travailler sur l'étendue où les pierres ont été jetées. Je crois bien qu'à ce moment, nous sommes devenus aphasiques. La crise de la ville, c'est aussi la crise des mots de la ville, la crise du discours de la ville, la crise de la critique. Les beaux textes littéraires et théoriques sur la ville s'arrêtent aux alentours du début du siècle. La création de lieux structurants, qui vont nommer au sens fort du terme de la ville, ne dépend jamais de l'art auquel appartient le créateur, mais bien plutôt de l'esprit de l'époque dans laquelle agit le créateur. Or notre époque n'a pas d'esprit. Ou elle en a si peu. On le cherche. On le cherche bien mal depuis une dizaine d'années. C'est pour cela que j'ai dit en introduction qu'il faut faire un bilan. On commence à vivre sur des vieilles lunes et on finit par les rabâcher. Même si le mouvement des nouvelles tendances en architecture et en art était tout à fait merveilleux, l'essoufflement, le râle un peu long du coureur de fond commence à se faire entendre dans les micros et haut-parleurs.

Si les responsables d'une ville, d'un quartier font appel à un homme de l'art, il est tout à fait normal que cet homme de l'art pense savoir ce qu'il fait. Il jugera son action juste dans la mesure où elle protégera son intégrité. Mais l'artiste, l'architecte ou le paysagiste donneront une forme à un fond qui souvent leur échappe. Parlez un peu avec les professionnels et vous verrez qu'on leur donne éventuellement un programme, mais rien d'autre, ou souvent rien d'autre et encore, à peine, un programme. Et pourtant la réussite de ce lieu particulier qu'est la place repose sur un certain type d'expression. Encore faut-il qu'un certain type de connaissance puisse exciter le savoir-faire de celui qui sait faire. Et exciter aussi l'imaginaire de ceux qui vont traverser l'objet, donnant ainsi l'expression d'un moment. Par la suite, on pourra toujours choisir. Les moments ne m'intéressent pas tellement, ou alors ceux qui sont plus synchroniques que diachroniques. On dit souvent que les créateurs fabriquent des objets solitaires simplement parce qu'ils sont nus et célibataires devant leur miroir.

La crise actuelle de l'art, de l'architecture et du paysage tient en ce qu'aucun mot d'ordre n'est donné. Ce que le programmateur donne, c'est l'orthographe, les lexiques. Sa mission est de contrôler le poème, il est un pré-contrôleur. C'est à lui qu'il appartient de faire en sorte que rien ne déborde. Il entraîne ainsi les créateurs dans une langue rêche et la maîtrise de l'ouvrage clôt souvent le débat par ces mots : «Il ne faut pas dépasser les marges et l'argent qui vous est alloué». Une histoire vieille comme la Sainte-Chapelle et notre cher Léonard de Vinci qui mettait trop longtemps à finir ses petites plaisanteries. Donc, on clôt ce débat là-dessus. Mais par contre, on ne clôt pas le débat sur le débordement de l'œuvre. Combien de maîtres d'ouvrage ont eu la force d'aller jusqu'au bout du projet? D'ailleurs, on voit très bien que les quelques maîtres d'ouvrage qui en ont eu le courage – et je pense particulièrement aux maires – ont fait un réel coup d'état sur un certain nombre de villes, notamment en France, dans le Midi et le Nord, et ont fait avancer cette problématique de la ville et, partiellement, la problématique de la place.

Si nous connaissons les raisons qui peuvent fonder une place, nous connaissons rarement celles qui font sa réussite. Ni ses dimensions ni sa situation ne sont des critères suffisants pour percer le secret de son existence mentale. Nous sommes portés à envisager la réussite de la prévision puisque nous évoquons quelque chose comme l'acte d'apparition, c'est-à-dire la création d'une place. Ce qui est à craindre dans les idées actuelles, et notamment dans un retour qui m'apparaît extrêmement dangereux à propos de la ville, c'est que face à quantité d'échecs dans ce domaine, en décidant de poser un objet sans penser l'existence du processus, l'action *ex nihilo* ne reprenne le pas. Or l'action mentale *ex nihilo* c'est l'éther que nous connaissons depuis une cinquantaine d'années et qui ne sait que cautériser les germes. On a peur, depuis fort longtemps, que la ville pourrisse.

Il faut se rendre compte qu'on est dans un monde d'écartèlement de la matière, qu'on est au stade de l'organisation de cet éclatement. Nous pourrions proposer une métaphore entre le secret de la matière constituée avec ceux qui œuvraient pour la connaître, et l'oeuvre d'art avec ceux qui œuvraient à la connaissance de la matière jusqu'au secret connu d'une matière toujours énigmatique. Il me semble que notre société se trompe en misant très peu sur l'inconnu du secret, et particulièrement celui de la place. Les scientifiques ne sont pas dupes du savoir en expansion infinie, alors que

nos créateurs et leurs mandataires pensent maîtriser un tour-
billon tout aussi invraisemblable que les traces des neutrons
dans une chambre à bulles. La figure est belle, encore faut-il
y trouver son lieu.

Je voudrais simplement finir sur ce possible constat :
«Avoir besoin de quelque chose sans plaisir, revient à abolir
la chose.» J'ai l'impression que par un phénomène d'idéologie,
on est en train de louper la question de la ville. Par une pré-
cipitation d'installation d'objets solitaires ou célibataires,
l'élection de telle ou telle place dans une ville par ses habitants
ou ses promeneurs n'est pas vraiment maîtrisable. La seule
présence symbolique du vide paraît convaincre bien plus que
tous les raisonnements, et quand je dis qu'on va un peu vite
en besogne c'est qu'effectivement on essaie de décider de
l'espace qui n'est pas encore du vide, qui est souvent du rien.
Or le vide ce n'est pas n'importe quoi! Qu'est-ce qu'une
place actuellement? Et bien, c'est simple : il faut des flux de
circulation, une rampe, des ventilations plus un escalier pour
descendre au parking. C'est absolument certain qu'à partir
de là vous pourrez mettre toutes les œuvres d'art que vous
voulez dessus, vous pourrez faire appel au plus grand architecte
possible, l'objet est déjà abîmé symboliquement. Dès lors, il
ne peut plus avoir d'existence. Il est vrai que notre siècle a le
plus grand mal à concevoir le symbolique et le vide. Je crois
que ce sont deux points importants, alors qu'on est, dit-on,
dans la perte du sens, voire dans une vacuité inconnue
jusqu'alors. Une dématérialisation de l'esprit. Et cette
dématérialisation envahit l'espace de rien. Le vide se trouve
à être le contraire du rien. Notre société poursuit l'idée de la
place, comme celle d'une rédemption. Même en France, on
va jusqu'à voter des crédits spéciaux pour rénover les char-
mantes petites places de nos villages. On se paye quoi avec

121

les deniers publics? On se paye l'idée de la mort de la campagne, édifier une mort, une mise en scène de l'agonie de la
démocratie? Qu'est-ce qu'on est en train de faire avec ces
financements? C'est un programme qui existe, je ne l'ai pas
inventé.

Notre pensée, notre société n'arrivent pas à maîtriser l'im-
palpable présence du vide. C'est étrange, voilà cinquante ans
qu'on écartèle, qu'on sépare, qu'on éloigne sans avoir pris
connaissance du vide fondateur de la ville. Alors que le vide
est un contrepoint. Il détermine tout au contraire, il combat
la matière, il stoppe l'envahissement. Un vide est quelque
chose qui arrête les choses, qui les contrôle d'une certaine
manière. Mais pas de la même façon que par des limites de
propriété ou des lois, ou des murs érigés. Il dresse des
murailles dans un affrontement mythologique titanesque
contre tous les envahissements.

Je veux bien que ma vision soit un peu apocalyptique.
Effectivement, j'ai une énorme amertume, une énorme
déception. J'aimerais jouir d'un aéroport, plutôt que d'une
gare, plutôt que d'une autoroute, plutôt que d'une rue. Je
voudrais être heureux sur l'instant. Un moment sans regret,
dans ces endroits-là. Et voici que les mots sont des ecto-
plasmes; un endroit ne devient jamais un lieu s'il ne trouve
pas une nomination. La cathédrale, le temple, voilà des mots
qui ont été réinventés par les catholiques puis les protestants.
L'aéroport, ça ne dit rien ou ça en dit trop. Quand je dis
«port», ai-je besoin de dire «eau»? Non. Port, c'est un rêve.
Dans le mot «aéroport», le rêve est plat. Il faut Orly, Gilbert
Bécaud et Jacques Brel surtout, pour qu'une évocation se
présente à nous; il faut le rêve de la midinette qui va
regarder le décollage des constellations. L'aéroport n'est rien.
Il n'a pas trouvé son mot. Et un lieu qui n'a pas trouvé son

mot n'a pas d'existence. Alors que la gare a imposé son mot tout de suite, un peu comme les premières photos étaient les plus belles. Toutes les gares sont un seul et même rêve. Et la transformation actuelle par un brillant architecte français, des gares en aéroports, en dit long sur notre société. Celle-ci aura gagné lorsque notre imaginaire sera réellement à plat, comme une autoroute; pourtant la Nationale 7, ce n'est pas mal!

Ce qui ne va pas, c'est que nous refusons de nous reconnaître, nous négocions continuellement avec notre pensée. C'est devenu la règle. Nous ne nous opposons plus à notre pensée, nous laissons aller la pratique. Nous n'avons plus de théorie vis-à-vis de cette pratique, nous l'avons laissé filer. À juste raison, un moment. Mais ressaisissons-nous, car nous subissons notre réalité au lieu de la réfléchir. En conséquence, il n'y a plus de théorie, plus de poétique. Les lieux que l'on nous propose sont souvent très beaux mais ils sont bien vides de théorie, de sens et, bien souvent, de poétique. Tôt ou tard, ça reniflera, c'est certain!

3

Pierre Granche, Montréal

UN REGARD D'ARTISTE SUR LA VILLE

Le «regard d'artiste sur la ville», non pas celui d'un peintre ou d'un photographe, mais celui d'un sculpteur particulièrement sensible à l'atmosphère que dégagent les grands ouvrages (silos à grain de la rue Mill, échangeurs d'autoroute, raffineries de l'est, premiers édifices en hauteur de Montréal, églises etc.), se forme lors de promenades urbaines, occasions de cueillette d'images visant à la réalisation de maquettes d'architecture comme composantes d'installations.

Très curieusement, ces parcours documentaires ramènent le souvenir de randonnées accompagnées, commentées et arrosées d'anecdotes par le paternel qui adorait Montréal et les escapades à n'en plus finir dans tous les coins et tous les quartiers, surtout les dimanches matins lorsque la ville bouge à peine. Une quarantaine d'années sépare ces activités ludiques du travail de production.

À travers cet entrelacement d'images du Montréal actuel et de rappels historiques de la mémoire, l'importance de la transmission d'une culture urbaine, une connaissance sentie, une compréhension sensible, apparaît comme profondément enracinée. Ce va-et-vient entre les années 1950 et la fin des années 1980 provoque des vérifications d'impressions laissées par les images grandies de la petite enfance. Le plaisir des vues à vol d'oiseau, soit des belvédères du Mont-Royal ou du pont Jacques-Cartier au retour de l'île Sainte-Hélène par les passerelles piétonnes, laisse toujours une émotion forte qui est associée à quelque chose de gigantesque, d'infini. Survient-il alors une inspiration ou une provocation à un retour sur soi, à ses fondements? Peu importe l'idée de ville comme lieu de recherche, de connaissances, d'inscription d'une effervescence, une culture semble fondamentale dans l'organisation de l'expression vivante, dans la façon de construire l'espace, de structurer des lieux, de penser le parcours comme modalité à l'installation.

Les projets de sculpture intégrée à l'architecture reposent sur des principes d'assimilation et d'accommodation à un lieu. Ce travail de décodage des structures, de compréhension de l'atmosphère du site, de la stratification historique, sociale et actualisée, transforme le lieu en douceur par un jeu de formes en continuité avec l'environnement. À certaines occasions, par des stratégies «caméléonesques», la signification locale acceptée bascule ou s'inverse par des constructions subtiles.

Le travail plastique, dans cette première approche, n'avait pas pour objectif de créer un objet mais bien de mettre en scène un lieu, d'en questionner la mémoire et la compréhension, d'y instaurer un parcours, d'y temporaliser la perception, donc de théâtraliser celui-ci, ses matériaux, ses formes et sa signification. Ce travail d'installation pouvait être permanent ou éphémère. La lecture de l'œuvre devenait inséparable du décodage du site. En ce sens, l'intégration du geste créateur au site prenait une dimension nouvelle. La situation devenait critique tout comme l'œuvre apportait un regard critique sur son lieu d'accueil et d'insertion. Bref, la véritable matière était celle du «lieu». Les matériaux servaient ou étaient assujettis à matérialiser un concept, une expression enveloppante.

Présenté dans le cadre de l'exposition «Tendances actuelles» au Musée d'art contemporain de Montréal, en 1978-1979, le travail d'installation «Assimilation/simulation 1978» est représentatif de ces sculptures qui établissent un dialogue avec l'architecture. L'idée d'une surface continue, mais sans raison justificative, change de direction dans l'espace pour créer une masse intrigante question- nant ainsi, par une lecture lente, les indices de ce qui est architectural et de ce qui est sculptural. (Fig. 1).

À l'inverse, d'autres projets intègrent «l'architecture de la ville», condensent des aspects très signifiants de Montréal, par le jeu d'entrecoupement d'archétypes, de stratification de périodes, ou de réunification selon un nouvel ordre des espaces divergents, comme dans «Gravité/cité/ennuagé» (1988). Cette sculpture-ville de papier et de pierre explore les rapports d'espaces topographiques et topologiques, la contradiction entre l'immuabilité du site transformé par les architectures, qu'elles soient baroque ou ferroviaire. (Fig. 2).

129

Si dans les productions antérieures l'accent était mis sur l'intégration ou l'insertion ou encore l'assimilation de la sculpture à l'architecture, à l'environnement, l'intention cherchait ici à inverser la situation. Était-il possible que la sculpture intègre l'architecture, la ville? Ces dernières pouvaient-elles offrir une matière à la sculpture?

Pour un photographe ou un poète, la réponse est presque immédiatement affirmative, pour un certain nombre de peintres aussi, mais pour un sculpteur, cela n'allait pas de soi. Le danger de la narration et de la simple évocation guettait ce type d'entreprise. Mais le risque constituait un défi assez stimulant pour en faire un plan de travail étalé sur quelques années. Les attentes d'une telle démarche visaient l'invention de formes, de rapports de matériaux concrets et conceptuels, sans négliger les acquis du langage morphologique développés dans la période précédente, ainsi que le regard critique sur la ville. Par ce questionnement, par ce traitement bien particulier du matériau «achitecture-ville», les responsabilités du sculpteur vis-à-vis son environnement et sa société étaient soulevées.

Est-ce que la rêverie de l'artiste, son imaginaire, son sens critique et esthétique, bref son projet, pouvait prendre place dans la cité, selon quelles spécificités et auprès de qui? Ce travail, cette vision des choses sur la ville, pouvait-il avoir un intérêt particulier au même titre que l'ouvrage des autres spécialistes - designer, géographe urbain, architecte, sociologue, urbaniste ou économiste?

En somme, l'idée de mener une production comme une étude sur la ville, ses architectures, ses places avec les outils offerts par l'approche sculpturale et installative, interpellait l'ouverture d'esprit qu'apportent l'interdisciplinarité, la polyvalence et le travail de collaboration avec, notamment, des étudiants en arts, en architecture et en urbanisme.

On comprendra les sculptures de cette période comme une mise en place des données et d'un apprentissage. Marcher la ville, photographier les architectures, les identifier et les classer, les dessiner, les reproduire en maquette et les découvrir sous un nouvel angle selon leur emplacement dans leur nouveau contexte, cela soulève le défi de rendre malléable un matériau urbain selon un espace à construire, une topologie et une topographie à l'échelle du laboratoire/atelier. Refaire un nouvel ordre urbain selon des subdivisions historiques ou stylistiques, créer des discontinuités ou des voisinages selon des critères formels, selon une approche esthétique ou critique, voilà une liberté d'artiste. Mais plus, faire remonter à la surface ce qui est condensé depuis la tendre enfance – des impressions, des images, des compréhensions et des passions pour la construction – insère une forme de ludisme, un langage construit d'idéogrammes tout comme l'accomplissement d'une pulsion, d'un désir.

Des leçons tirées des langages morphologiques du travail *in situ*, de l'expérimentation du matériau ville allaient permettre le traitement d'espaces publics par l'approche de l'installation comme méthode d'investigation et de transformation des sites pour créer des lieux d'expression, des lieux publics.

Outre l'idée d'inversion et de tension, le commun dénominateur de ces projets publics réside dans une préoccupation d'emboîter, de télescoper des situations divergentes, des lieux distincts et des temps différents. En somme, ouvrir un espace-temps sans catégories prédéterminées remet en question les frontières, les délimitations, les classifications d'«espèces d'espaces». Ainsi, le lieu est considéré comme un continuum spatial. Les structures spatiales souples, intuitives, courbes reposent dans ces circonstances davantage sur le parcours, le déplacement temporalisé de l'utilisateur et moins sur des géométries issues du lieu tramé et cartésien comme les projets antérieurs pouvaient l'exiger. Par des points de convergence et de rayonnement, l'œuvre n'interrompt pas l'espace mais se donne pour ainsi dire sans limite. Les notions plus conceptuelles de la topologie donnent accès à l'idée de l'espace en termes de continu et de discontinu, de voisinage, de proche et de lointain, d'extérieur et d'intérieur. Le fait de jouer avec la plasticité de l'espace nécessite de considérer la capacité de transformation et d'élasticité du site d'accueil à plusieurs niveaux afin que le geste d'expression puisse inscrire une autre densité, c'est-à-dire une cohérence nouvelle. Quelques projets témoignent de cette vision, de cette approche.

Au Toronto Sculpture Garden, «Thalès au pied de la spirale» démontre une volonté de faire jouer le matériau miroir (tôle d'acier galvanisé) comme une réflexion de la ville et comme une façon de réfléchir la ville, son passé et son présent, son étalement et sa distribution. Dix-huit figures hybrides glissées sur six rayons entrecoupent un volute architectonique percé d'arches. Le périmètre du jardin d'accueil organise la tension entre la croissance et la concentration. (Fig. 3).

À l'Université Laval, l'installation «Égalité/équivalence» organise une place, un lieu de rencontre. Procédant par le jeu des parcours en double spirale imbriquée, un mouvement centrifuge et centripète crée un effet de pulsion, d'inspiration et d'expiration. Côtoyant le parcours des figures égales au plan de leurs dimensions, posées sur des socles à l'image de petites sculptures, se questionne le statut d'équivalence de l'arbre, du chien, de l'oiseau et de la pierre comme sujets ayant droit de cité dans la place. La domestication comme réponse explique la présence des trois habitations à l'image de la maison: la cabane de l'oiseau, la niche du chien, la serre de l'arbre. Une intrigue se forme posant le problème des hybrides, des mythes et des passions. (Fig. 4).

133

5

Au centre de l'esplanade de la Place des Arts, le lieu sculptural intitulé «Comme si le temps de la rue...» se présente à ciel ouvert comme une sorte de fosse théâtrale où se jouent l'art, la ville et l'architecture interprétés par quelques cariatides. Par sa fenestration, l'installation perce un jour dans le sous-sol urbain donnant accès à une lumière dense. L'abîme construit dit bien l'échelle d'une ville miniaturisée. Il s'agit de Montréal avec son fleuve et sa montagne, avec ses rues et son plan urbain traversé de méridiens et de parallèles. Au pourtour, en forme d'échos ou de choc d'ondes, les cercles circonscrits s'inscrivent sur l'esplanade, les rayons se poursuivent virtuellement juqu'au fleuve et jusqu'à la montagne. Un tout petit instant d'imagination vient de glisser d'un grand espace vers un espace d'équivalence, d'un niveau à un autre, de l'extérieur vers l'intérieur. Le spectacle urbain se matérialise dans le lieu et peut-être se laisse-t-il rêver par la sculpture. (Fig. 5).

134

De ces trois projets, et de plusieurs autres de la même période, se dégage une façon de travailler l'espace qui est fondée sur l'étendue non bordée, c'est-à-dire le *all over*. Cette caractéristique ouvre une vision étoilée ou rayonnante sur la ville.

Ce parcours montréalais, ce regard d'artiste, ces observations enregistrées par le recensement photographique et analysées par le dessin, ces expérimentations sculpturales alimentent une pensée folle : celle de planifier l'emplacement de lieux publics d'expression à partir d'un centre, d'un point de référence très significatif pour les Montréalais et les visiteurs, donc de superposer une trame en rayonnement, en étoile à celle, orthogonale, déjà existante.

En plus de répondre à des critères conventionnels concernant le choix des places publiques (encadrement du site, circulation, esprit, voisinage, activités et rôle de l'art) imaginons que la sélection des espaces libres, pour en faire des lieux publics d'expression, pourrait prolonger l'idée de la percée visuelle sur le mont Royal. Cette idée, déjà exprimée à quelques endroits comme celui de l'axe McGill College, pourrait devenir une condition essentielle à l'instauration de places publiques.

L'idée de polarité, de directionnalité virtuelle, d'échanges entre un lieu haut de significations et magique vers des lieux denses et intenses de vues que sont les petites places publiques, s'énonce ici, non pas comme une théorie ou une approche rationnelle, mais plutôt comme une intuition, un sentiment, une émotion. Mais encore, l'idée du parcours installatif pourrait jouer un rôle dynamique à la grandeur de la ville, celui de faire sentir une cohérence, une continuité visuelle et une communication entre des petits lieux marquants et de créer une intrigue qui incite à la tournée, à la découverte.

Il s'agit donc d'une compréhension élargie de l'espace, c'est-à-dire englobante. Les belvédères de la montagne offrent la possibilité de passer d'une perception locale à une vision élargie, de lier des zones urbaines trop souvent fractionnées par des barrières physiques, de penser une fluidité des activités issues des quartiers, des ethnies entre l'Est et l'Ouest, par une ouverture symbolique favorisant la convivialité et non pas la ghettoïsation des espaces publics.

Somme toute, ce «regard d'artiste sur la ville» nous informe que l'artiste rêve son œuvre en se référant à ses souvenirs profondément ancrés, à un regard critique et à ses expérimentations sur la ville. Réfléchissant avec le langage des formes (qui utilise la dualité, la tension et l'inversion), il cherche à travers une écriture morphologique et plastique à atteindre l'imaginaire et la poétique urbaine. Et quand la rêverie, à l'occasion, passe au niveau des reponsabilités et à celui de la réalisation, les images laissent des traces et une culture se dessine.

Jean-Marc Bustamante, Paris

DU MUSÉE À LA VILLE : ÉTABLIR DES LIEUX

Comme vous le savez, les liens qui unissaient artistes et architectes au temps des avant-gardes n'existent plus. Depuis,
aucune réflexion sur l'élaboration du concept d'art dans l'espace public n'a été menée. L'architecte remplit son rôle en
répondant directement aux exigences sociales, économiques
et culturelles. L'artiste, n'ayant pas de fonction réelle hors
des musées, vient toujours en dernier. Dans les commandes
publiques, il est toujours convié au moment où le site est
déjà défini, aménagé, voire construit. On lui demande alors
une proposition, là où le politique le désire, là où l'architecte
le décide. Cette situation n'intéresse que les artistes
médiocres, les réalisations du «1 %» que nous connaissons
bien en France ainsi qu'au Québec. L'architecte devient le
seul interlocuteur et il n'hésite pas, à la recherche de sa propre
expression, à recourir aux emprunts les plus flagrants. La
relation de l'architecture au musée est aussi très significative.
Un musée n'a pas de fonction réelle pour un architecte. C'est
pourquoi il pense avoir la possibilité d'expérimenter les
formes les plus arbitraires. Aux conservateurs et aux artistes
de se débrouiller et de faire avec! Dans la cité, le contenant
importe avant tout.

On peut certainement reprocher à l'art une évolution vers
une complète autonomie qui lui donne une grande indépendance, qui le coupe de la communauté. Inversement, l'art
peut être considéré comme une victime de la société.
Pourtant, si l'on veut bien voir de plus près les récents
développements de l'art contemporain, son rapport à
l'architecture est très présent. Il vient du souci des artistes
d'entamer un nouveau dialogue avec la nature, avec la cité,
d'un désir de prendre en charge les espaces publics au-delà

137

des systèmes formalistes et décoratifs, de cette volonté de reprendre contact avec le monde qui est aux antipodes des concepts *in situ* et *insight* spécifiques, imaginés dans les années 1970.

Je voudrais mettre en évidence la notion de lieu opposée à celle d'espace, une notion qui me semble la plus adaptée pour une meilleure intégration au milieu urbain. Comment l'œuvre peut-elle s'insérer dans l'espace restreint et discontinu du réel sans le heurter, ni le mettre en question, ni le révéler? Le lieu est avant tout la reconnaissance du monde. C'est un topo, ce n'est ni une géographie, ni un endroit. On se rend vers un endroit, on va vers un lieu. Un lieu est indescriptible. Il est irréductible à toute espèce de représentation. Aussi, n'a-t-il pas seulement une réalité physique, mais bien une réalité métaphysique qui lui est propre. La relation du lieu au monde est indissociable de celui qui l'a conçu ou plutôt induit, placé là, et de celui qui le reconnaît. Le lieu est le monde des autres, il se conçoit avec le corps qui l'occupe. Par exemple, le vase est le lieu de la fleur. Le lieu est contenu à l'intérieur des limites, limites intérieures et non extérieures, à la différence de l'espace qui est caractérisé par son extériorité. Le lieu est stable, il résiste, dépositaire de l'énigme, celle de l'homme, debout, immobile, qui regarde. Loin des objets, des utopies, des gestes, des attitudes, des images, des collages arbitraires, le lieu considéré dans ses dimensions physiques ou métaphysiques n'est pas objectivable. Ici, on déserte les systèmes, on se détourne de l'idée de progrès.

Il est nécessaire de préciser ce que l'art d'aujourd'hui, hors des musées, peut apporter aux besoins, aux attentes de la communauté. Il convient de se positionner en faveur d'un art qui peut aussi quitter le champ des musées, des expositions, des collections, des commémorations et se rendre de manière constructive dans le monde de tous les jours. En ramenant l'intérêt pour la ville et pour les rapports des individus entre eux, l'art et l'artiste peuvent et doivent jouer à nouveau dans la cité un rôle capital et ce, avec les paysagistes et les architectes qui en auraient compris les priorités. Une telle conception de l'art vise l'absence d'une forme prédéterminée, elle cherche la temporalité spécifique, le regard du passant, l'«indéfinition» des relations.

François Roche, Paris

LA VILLE ET LE TERRITOIRE

Je crois que c'est un luxe de parler de la place publique deux jours après avoir traversé, de l'aéroport au centre-ville de Montréal, une frange de territorialité qui doucement gagne, non pas sur les champs labourés comme à Paris, mais sur la baie d'Hudson. Aujourd'hui, il est en définitive peut-être plus important de parler de la périphérie des villes, de cette impossibilité de limiter l'extension de l'urbanisation que d'essayer à tout prix de requalifier des sens urbains qui, de toute façon, seront reappropriés. François Barré l'a mentionné hier : que l'on fasse des « 1 % » merdiques ou des œuvres de sens et d'intérêt, la ville se les réapproprie et, à sa manière, en gomme presque l'intelligence et le sens.

Dans notre travail, nous avons beaucoup de mal à différencier l'architecture du paysage, du territoire et sa composante de lieu public, tout comme nous avons beaucoup de mal à différencier le plein et le vide. Nous essayons souvent de faire glisser l'architecture sur et sous le territoire et de prendre des positions d'architecture qui soient en quelque sorte le réquisitoire d'un processus d'enchâssement entre l'économie des hommes et les équilibres territoriaux. L'architecture a donc tout à réapprendre du *genius loci* afin d'en révéler les fractures, les tensions, au moyen parfois d'une très grande vacuité, c'est-à-dire d'une très grande disparition. Nous nous réclamons autant de la densité que du vide, et même quelquefois, du refus d'intervenir là où la programmation ne pousserait qu'à la production de bâtiments égoïstes et solitaires, ne se réclamant que de l'objet.

L'émotion du site intact, ou cette indicible fracture que l'on peut manifester par l'architecture, doit à mon sens se charger et s'épaissir du temps, des saisons et des modifications

141

climatiques. Il faut laisser à l'architecture la possibilité de se transformer, de s'altérer, de s'user, de prendre un certain poids qui n'est pas le poids de l'immuable ni ce rêve de l'éternel propre aux architectes. Nous parlions au cours d'un précédent débat d'éphémère ou de pérenne. Je pense qu'il est important de constituer un rapport à la construction qui puise dans sa dimension éphémère une identité. On sait pertinemment que, de nos jours, un bâtiment dure à peine quinze ou vingt ans. Les exemples du Japon prouvent que les modes et les temps d'existence du bâti sont de plus en plus raccourcis. À mon avis, aujourd'hui, le rêve de beaucoup d'architectes d'imposer leur pierre philosophale me paraît être une grande escroquerie.

Une telle relation à la nature impose aussi une sorte de rite archéologique consistant à soulever le tapis de la planète, le tapis du territoire, à savoir le lire pour faire resurgir des strates, sans aucune intention poussiéreuse ou pédagogique, un respect des équilibres territoriaux et affectifs. Les moyens à notre disposition sont issus de l'éclatement des champs artistiques; nous avons actuellement beaucoup de matériaux sous la main pour échapper *stricto sensu* à l'enfermement de notre carcan professionnel. Nous pouvons ainsi opérer en relais du monde de l'art, du paysage, de la géographie, sur le tranchant de ce siècle et nourrir de toutes ses expérimentations. Il est ici question de retrouver l'émotion perceptive, en alerte des cinq sens, de retrouver des phénomènes climatiques, des phénomènes d'usure, des phénomènes physiques, d'aller chercher dans des champs spécifiques à l'art, spécifiques au paysage, non pas des alibis, mais des légitimités d'intervention territoriale.

142

Le premier des travaux que je vous présenterai est un projet élaboré en 1992, pour le bord de mer de Tréberden, un lieu de la Bretagne où le climat est d'une violence inouïe. Il s'agissait de réfléchir sur l'espace public de la plage et donc de statuer sur une extension de la ville venant posséder un territoire presque vierge qui, en fait, ne l'était pas, mais qui en avait des allures. Dans cet endroit, il y a deux anses, une à droite, l'autre à gauche. Sur l'une, on vient construire un immeuble de logements, un bâtiment en bois, en contreplaqué de teck non traité qui doit se champignonner, s'éroder avec le temps, un édifice qui mesure à peu près 200 mètres de long. Tel un bateau, il doit flotter et s'échouer sur le rivage, à côté d'un hôtel du XIXe siècle. Sur l'autre anse, un centre commercial totalement recouvert de végétation locale – des épineux où l'on se pique les fesses et qui en définitive camouflent complètement l'intervention architecturale – vient prolonger le territoire naturel. L'édifice en bois se veut complètement lisse, capoté au moyen d'un système de volets adéquats. Ces deux bâtiments sont donc complètement confrontés au climat, aux embruns maritimes violents. Ils doivent se patiner, s'éroder, se métamorphoser et devenir presque une sorte d'archéologie des vestiges du site. (Fig. 1 et 2).

143

3

Dans le cas de cet autre projet élaboré dans le cadre d'un concours organisé en 1992, le territoire n'est pas vierge. Dans la banlieue de Tourcoing, existait une ancienne usine de plaisir, style bal musette, un petit peu ce qu'on appelle «Chez Gégène, à Joinville-le-Pont», au bord de la Marne. C'est un truc gigantesque qui doit abriter une École supérieure d'art et de vidéo. C'est un lieu très chargé de mémoire qui n'a pas du tout besoin d'un architecte pour exister. Dans ce projet, nous devions laisser le territoire tel quel, sans aucune intervention architecturale, et jouer sur la notion d'emballage. Par un phénomène de clonage, la toponymie, la géographie et puis la nostalgie du lieu étaient laissées intactes. La modification par l'architecture vient seulement créer une fracture quasi indicible qui se joue des matériaux, qui se joue du sens ou de l'appropriation du bâtiment, mais qui ne vient jamais opposer une altérité, même si elle vient modifier l'échelle et la nature même de l'empreinte du bâtiment sur le site. (Fig. 3).

144

Un troisième projet, résultant aussi d'un concours, réhabilite un ancien fort de la périphérie de Paris, à Bois d'Arcy, un fort de munitions qui, après un siècle et demi, a complètement été récupéré par la végétation sauvage. On devait y abriter les archives du cinéma français. Mais ces archives sont fragiles et elles explosent facilement. Pour conserver ces films d'avant-guerre au nitrate d'argent qui prennent feu dans des conditions climatiques ou hydrométriques non satisfaisantes, nous proposions d'installer des containers rouillés dans les douves de la fortification, comme pour antidater l'architecture, comme pour essayer de se positionner à l'origine même du fort, comme si, d'une certaine manière, la garnison napoléonienne avait oublié des caisses de munitions. (Fig. 4).

Dans cet autre cas, on a mis le feu à un bâtiment de la Ville de Paris pour essayer de le reconstruire. Aussi nous n'avons pas été invités au concours! Néanmoins, nous avons essayé de faire un contre-projet. Il concerne les magasins généraux qui étaient construits sur le canal de l'Ourcq, au nord de Paris. Ce n'était pas un bâtiment très important, mais un bâtiment très symbolique sur l'identité de la ville et le rapport à la mimesis dans un processus de clonage. D'une certaine manière, cela pose le problème du modèle de l'architecture et du modèle urbain par son simple moulage en fonte de laiton. (Fig. 5).

145

6

En terminant, voici la seule commande publique que nous ayons eue grâce à Mme Luciana Ravanel et l'Institut Français d'Architecture. Ce projet concernait le jardin privé de l'I.F.A. À l'occasion du bicentenaire de la Révolution française, on devait proposer une sorte de mur élémentaire de l'architecture. En définitive, c'était le bicentenaire des droits qui oubliait complètement les droits de la nature, le droit au paysage. On a donc dépensé l'argent de l'État pour essayer de renouer avec cette émotion primitive et cet engagement sur le territoire. Il s'agit d'un mur en «ice cream», totalement en «gelato», complètement blanc. Cela peut ressembler à du polystyrène, mais c'est bien de la glace à moins 18°, dans laquelle un poisson rouge est pris vivant. Celui-ci représente l'individu symbolique survivant dans un contexte hostile grâce à l'architecte qui l'approvisionne en nourriture et en chaleur, comme un bon père. (Fig. 6). Voilà, c'est tout!

146

IMPAIR, PASSE ET MANQUE

Hasard, malchance ou fatalité, c'est dire la fragilité de la mise. À Montréal, certains espaces publics en font la preuve, non pas que l'enjeu soit sans fortune critique, mais parce que ces espaces misent sur trop gagner du passé pour y perdre dans l'actualité et le devenir. Place des Amériques (intersection boulevard Saint-Laurent et rue Rachel), réalisée récemment, propose une arche vaguement sud-américaine sur fond «Paris Star», des pavés et des bancs, de la pelouse, des arbres et le soleil d'avant-midi seulement! Où sont les «Latinos» et les autres? Au parc Jeanne-Mance... au «foot»... au monument des «tam-tam», sous les ailes d'un ange, à l'événement, dans la disponibilité... voilà!

Qu'est-ce qu'une place? Qu'est-ce que la ville contemporaine? Depuis 1990, le gouvernement du Québec et l'Office de la langue française diffusent un dépliant ayant pour but de dissiper la confusion sur l'usage du mot «place» dans le langage des gens. On peut y lire la définition suivante : «En géographie urbaine, le terme "place" ne peut servir qu'à désigner un espace découvert et assez vaste sur lequel débouchent ou que traversent ou contournent une ou plusieurs voies de communication et qui parfois est entouré de constructions où peut comporter un monument, une fontaine, des arbres ou autres éléments de verdure.»

Une illustration d'une place et de son environnement vient appuyer le discours didactique du dépliant par une dimension visuelle. Cette image établit, sans équivoque, la relation entre le terme «place», ses caractéristiques spatiales et ce qui peut composer son entourage.

Reconnaissons dans cette initiative un effort appréciable au plan linguistique mais attardons-nous encore quelques

Monument au 350ᵉ anniversaire de Montréal, 1993, un projet (non réalisé) de Jacques Rousseau, une maquette de Christian Bélanger

147

instants sur cette illustration pour la lire plus en profondeur et réfléchir sur la ville. S'adressant à la population en général, cette image tend à représenter la place sous la forme la plus simple et la plus typique qui soit, y donnant ainsi la plus grande accessibilité possible au plan du langage urbain. Mais au-delà de son rôle descriptif, cette illustration pose la question du modèle. En effet, si on accepte pour un instant cette hypothèse, c'est globalement un mode de vie urbaine qu'il nous est ici proposé de voir et, ultimement, le modèle que l'on pourrait reproduire, tant pour former la place que pour former la ville.

Cette image frappante ne sera pas sans laisser perplexe l'observateur le plus progressiste, sinon le plus libéral qui soit, car ce n'est certes pas le seul modèle que nous ayons. Néanmoins, nous devons constater qu'il est le plus diffusé, tant chez la population en général que chez la communauté professionnelle. À preuve, ce dépliant de l'Office de la langue française ainsi que toute l'approche du design urbain que nous connaissons et qui forme la ville suivant ce modèle historique.

Mais qu'en est-il de la ville contemporaine, qu'en est-il de la place? Aujourd'hui, au Québec, à Montréal, émerge une culture de la place qui s'éloigne sensiblement du modèle décrit ci-haut. Cette nouvelle culture trouve certaines de ses racines au sein des slogans populaires des années 1960, 1970 : «Le Québec aux Québécois» et «Québécois, dans la rue». Ces appels à la population ouvraient la voie à l'appropriation de l'espace de la rue pour l'investir du sens du rassemblement. De fait, les fêtes nationales et les fêtes de quartier, les défilés, les marathons et les tours de l'île, les fêtes des neiges, les feux d'artifices, les festivals du jazz, du rire et du cinéma, les ventes sur rue et sur trottoir sont autant

de signes d'une tradition des rassemblements qui dorénavant auront lieu dans la mobilité.

Émerge donc une culture de l'espace public qui nous mène
à penser qu'aujourd'hui, le concept de place se fonde dans
l'événement plus que dans la durée et qui, du point de vue
du projet, transforme radicalement la nature des gestes que
l'architecte aura à poser. Ainsi s'ouvre le temps du travail sur
le temporaire mettant en veilleuse celui qui se fait sur la permanence. De l'état de mobilité de la place, du fait qu'on la
transporte avec soi, une nouvelle culture matérielle voit le
jour. Apparaissent et disparaissent les usages périphériques
de la place. On déballe les abris, les tentes, les kiosques et les
clôtures, les provisions de chez Métro, Sealtest, Yoplait et
Labrador, les toilettes et les poubelles... puis on remballe.
Tout pour le temps d'une place... Tout pour le temps d'une
caravane urbaine. Voilà!

De ces deux expressions de la culture de la ville, l'une
historique et savante, l'autre actuelle et spontanée, j'estime
essentiel de m'interroger sur la seconde. En effet, la condition
de la mobilité appliquée à la question de l'espace public pose
des défis appréciables aux concepteurs d'aujourd'hui. Pour
n'en nommer qu'un, le phénomène culturel de l'apparition
et de la disparition des lieux collectifs dans la ville, lors des
grands rassemblements, incite à réfléchir et à prendre position
sur la nature des aménagements urbains temporaires qui les
accompagnent.

À cet égard, il ne sera pas question ici de faire le procès de
ces aménagements mais plutôt de chercher à définir le rôle
que peut jouer l'architecture dans ces nouveaux contextes.
Aussi je souhaiterais, dès à présent, dissiper une première
hypothèse. A priori, on pourrait croire que la notion fasci-
nante de la mobilité porterait l'architecture à refaçonner tout

l'appareillage associé aux usages périphériques des événements, pour le rendre possiblement meilleur ou plus spectaculaire. J'estime qu'une telle approche risquerait d'étouffer les qualités carnavalesques propres à ces événements et n'engagerait en rien un débat de fond sur le rôle de l'architecture et des architectes au sein de cette nouvelle culture dans la ville.

Cette hypothèse d'un rôle très visible étant écartée, c'est plutôt dans un rôle «subordonné», moins visible et moins spectaculaire, que l'architecture saurait le mieux incarner les valeurs qu'elle estime toujours vraies dans toutes les situations où les foules se rassemblent et contribuent à façonner le nouveau visage de nos villes. Je pose dès lors l'hypothèse du travail de création d'une architecture simple, silencieuse et vigilante, favorable à une nouvelle culture de la place publique. Une architecture entre la ville et l'événement... Une architecture entre la ville et la caravane... Une architecture sous-entendue.

Dominique Perrault, Paris

COMPOSER AVEC L'HÉTÉROGÈNE

Le projet pour l'Université d'Angers est le premier d'une série de projets s'adressant à des situations qu'on essaie généralement d'éviter, voire d'évacuer, des problèmes auxquels les architectes refusent souvent de faire face. Suivant une grande tradition de campus, les bâtiments ont été implantés de façon assez éparpillée autour d'un grand terrain vague qui faisait office de centre à cette institution. Chemin faisant, la mairie s'est émue de cette situation et a proposé un plan d'aménagement comportant la construction de nouveaux bâtiments pour la Faculté de droit et des lettres et pour la Bibliothèque universitaire. Notre parti consista à éviter de construire le «énième» bâtiment d'une longue série afin de laisser le champ libre, la place vide et de créer là un lieu central que les étudiants peuvent traverser pour aller d'un bâtiment à l'autre. Dans la partie triangulaire, a été aménagée une espèce de grande piazza qui conduit à la Bibliothèque universitaire et à tous les grands amphithéâtres. Il y a donc là une réponse par l'absence de bâtiment, qui offre la toiture des nouveaux locaux à la promenade et à la création d'un espace public. (Fig. 1).

151

La construction d'immeubles à bureaux près d'un aéroport est un autre sujet assez désagréable. Je parle d'un projet situé près de Roissy, à Villepinte, dans une zone industrielle avec des parkings. Là aussi, on retrouve cette volonté de travailler sur des éléments maudits, si je peux m'exprimer ainsi, parce qu'il y a beaucoup de voitures, et un programme peu défini, des bureaux pour lesquels il n'y a pas de volonté particulière de spécification, puisqu'ils peuvent accueillir tout le monde, tout et un peu n'importe quoi! Nous avons pris le parti de confronter le parking en essayant de le traiter comme un espace possédant une qualité esthétique et une charge émotion-nelle. Ce parking est donc composé d'une série de lignes : lignes de bitume, lignes plantées, lignes d'eau, lignes colorées, lignes de lumière, etc. Ces lignes sont transformées et amplifiées par un sys-tème d'anamorphose produit par la courbure des bâtiments en verre réfléchissant. Ce matériau nous intéresse précisément pour sa capacité à refléter. Son choix n'est pas une démission vis-à-vis de l'architecture. Évidemment, dans cette opération, le mouvement est très important puisqu'il y a beaucoup plus de places de parking que prévu. Par une espèce de phénomène de champ magnétique, certaines voitures viennent stationner au plus près de l'immeuble tandis que d'autres restent éparpillées tout autour du site. (Fig. 2).

3

Confronté à un bâtiment existant qui n'est pas formidable, l'archi
tecte a tendance à être frileux. Dans cet autre projet, l'entreprise
Usinor-Sacilor souhaitait transformer en un centre de conférence
une grosse maison située au centre d'un parc et appelée le
«château». Ce bâtiment voisine des laboratoires de recherche et
l'entreprise se proposait en fait d'en doubler la capacité, tant en termes de surface que de volume, afin d'accueillir une salle de réunion
pour 150 personnes environ, un restaurant et un certain nombre de
salles de réunion. Dans ce cas-là aussi, plutôt que de venir adjoindre
ou raser, nous avons choisi d'installer un disque de verre, de creuser
à environ sept mètres de profondeur et de restructurer l'ensemble
des salles intérieures. Puisque cette maison était une ancienne
demeure bourgeoise, nous avons déplacé l'escalier existant et réin-
stallé un autre qui relie la partie basse à l'ensemble des étages. Il
s'agit donc d'une intervention minimaliste qui donne néanmoins
une nouvelle vie à cette construction. Telle est notre réaction face à
des bâtiments existants pour lesquels les gens ont une certaine
affection. Certains pensaient que cela ne valait pas la peine de conserver cette maison, mais, dans la commande, il y avait la volonté de
le faire, et cela m'apparaissait comme une raison nécessaire et suffisante pour en tenir compte. (Fig. 3).

4

Autre site ingrat : Paris XIIIᵉ arrondissement, au bord du périphé-
rique, 250 000 véhicules par jour, un «rogaton» de terrain, comme
il a été dit – c'est un mot juste –, c'est-à-dire un reste, un emplace-
ment situé au milieu d'un échangeur autoroutier, cerné par le
périphérique d'une part, la Seine et le port autonome d'autre part.
Il ne faudrait pas confondre ce bord de Seine dans le XIIIᵉ et celui qui
jouxte Notre-Dame ! Ici, c'est beaucoup plus «hard», beaucoup plus
ingrat comme situation, puisqu'il y a également un grand faisceau
de voies ferrées avec tout le système d'accès vers la gare de service.

Nous avons choisi de profiter de la vitalité de l'endroit. Ce bâtiment,
dans lequel nous avons installé nos bureaux est par son enveloppe
vitrée en contact direct avec ce site a priori infernal à vivre. Je trouve
qu'il y a dans le rapport avec cet espèce de mouvement, aussi bien
de jour que de nuit – et de nuit, c'est d'ailleurs encore plus fantastique
avec toutes les lumières de la ville, des voitures et des trains –, une
charge de vitalité plus efficace que la thalassothérapie! (Fig. 4).

L'autre site, qui est d'ailleurs à proximité du bâtiment industriel, c'est celui de la Bibliothèque de France. Ce grand équipement doit s'implanter dans un quartier qui n'a pour l'instant à peu près aucune existence. Le quartier le long de la Seine qui va être urbanisé couvre à peu près une centaine d'hectares occupés par des industries et, sur les deux tiers du site, un immense faisceau de voies ferrées. Il faut savoir que pour l'ouverture du chantier de la Bibliothèque de France, il a fallu amener dans cette zone pourtant centrale de Paris, égouts, eau, électricité. Il s'agit donc cette fois d'un site en devenir avec un projet de 300 000 mètres carrés. L'enjeu, c'est la dimension du bâtiment et le don, c'est une grande place publique pour ce nouveau quartier. En France, il est souvent du ressort de l'État de mettre en valeur les espaces de représentation des monuments.

Par courtoisie, et pour ne pas être en reste, le maire de Paris nous a demandé, après le concours de la Bibliothèque de France, d'élaborer une proposition d'aménagement pour ce quartier. Dans la partie centrale du plan se trouve la bibliothèque, avec ses quatre balises qui marquent la place et le jardin autour duquel s'organisent les salles de lecture. De part et d'autre, doit se développer un système d'urbanisation qui favorisera les retrouvailles du XIIIe arrondissement avec le fleuve. En effet, ce quartier de Paris est assez particulier : il est bordé sur presque deux kilomètres et demi par la Seine, sans que *ses habitants puissent y accéder, les voies ferrées coupant tout. Le premier principe de ce parti d'aménagement, c'est donc de s'installer perpendiculairement au fleuve pour mieux établir toutes les liaisons possibles, petites, larges, etc..., peu importe, multiplier les liaisons entre le quartier et le fleuve. Il y a également une notion d'orientation : les bâtiments s'alignent nord-sud, ce qui permet des vues traversantes vers le soleil levant et le soleil couchant. L'autre principe, aléatoire cette fois, concerne la création d'un grand parking. En effet, il n'y a pas là de volonté esthétique, mais plutôt un intérêt de gérer le «moche». Car, finalement, les choses belles, et les gens qui les font, ne nous apprennent rien. Le problème, c'est plutôt d'intégrer la diversité des formes, des usages, de toutes les expressions et, bien évidemment, de toutes les évolutions. Il y a donc dans le principe de ce plan d'urbanisme une volonté de ne pas figer l'implantation des bâtiments et de laisser libre les possibilités de développement du quartier et de sa reconquête : il y a la notion d'un urbanisme vivant. En France, en termes de règlement, nous avons un arsenal assez complet : la panoplie est très fournie, on peut intervenir à peu près à tous les niveaux, si ce n'est que tout se gèle, se fige, se bloque et vient se dessécher dans ces fameux plans d'urbanisme qui apparaissent à terme comme des éléments de contraintes absolument intolérables au développement de notre culture et de notre société. Ces plans* d'urbanisme sont principalement des facteurs d'exclusion. Pour les éviter, on essaie de plus en plus de mettre en place des systèmes de réflexion qui consistent à fabriquer des documents d'intention, de concept qui permettent à chacun et surtout aux décideurs de pouvoir prendre des positions d'adaptation, d'évolution et qui leur laisse également un peu de temps, afin que nous puissions intégrer au fur et à mesure les opérations d'urbanisme et les différentes volontés d'aménagement. (Fig. 5).

Pour terminer, je vais présenter le projet de Berlin, élaboré dans le cadre du concours international pour les installations sportives lancé par la Ville en vue de sa candidature pour les Jeux olympiques de l'an 2000. La pratique allemande consiste à avoir une «short-list» pour les étrangers et une liste ouverte pour les nationaux. Invités, nous avons répondu au programme de la piscine et du vélodrome. Dans le plan d'urbanisme, l'ensemble des installations sont accrochées en chapelet le long du «S-bahn», une petite ceinture ferroviaire permettant de relier entre eux les sites. La partie sur laquelle nous avons travaillé représente environ une vingtaine d'hectares et elle prend en compte non seulement les installations sportives mais aussi la restructuration, et même, pour être plus exact, la reconstruction de la gare de chemins de fer et la construction d'un métro, d'un centre commer-

6

cial, d'hôtels, de bureaux et de logements. Ce projet est, d'une certaine façon, l'aboutissement de ceux présentés antérieurement comme des travaux sur l'absence de bâtiment et sur la mise en place d'un système introduisant des rapports quelque peu plus libres entre nature et bâtiment. À Berlin, le principe fut donc de construire un verger en plein cœur du quartier. En effet, Berlin est une ville très verte, avec beaucoup d'espaces libres, et ce terrain se trouve à équidistance de deux parcs, l'un plutôt d'inspiration romantique, l'autre plus lié aux sports et comportant déjà des installations. Pour ce projet, nous avons pensé mettre en œuvre un grand verger d'environ 1 000 pommiers avec en son centre deux pièces d'eau, de laque, de verre et de métal situées à peu près à 70 centimètres au-dessus du sol. On pénètre dans les deux bâtiments, le vélodrome étant la forme ronde et la piscine olympique la rectangulaire, entre la toiture et la rive de la clairière. On descend par des emmarchements vers les gradins, vers les escaliers des installations sportives, la descente se poursuivant jusqu'au bassin de la piscine et à la piste du vélodrome. Ce projet qui occupe une position centrale dans le fonctionnement du quartier est en même temps absent en termes de repère visuel de type signal, comme on a souvent l'occasion d'appeler les choses. Il donne lieu à un système de relations qui devraient, on l'espère, favoriser la restructuration de l'ensemble du quartier, sans l'a priori d'un plan d'urbanisme qui impose à tous crins et pendant plusieurs décennies des directions qui n'ont parfois plus cours au bout de quelques années. (Fig. 6).

Il y a donc, au travers de ces différents systèmes, une espèce de recherche exploratoire sur un travail esthétique qui consiste à pouvoir intervenir sur la présence de l'architecture, sur sa prégnance. L'architecture est quelque chose de lourd, de visible, quelque chose d'extremement encombrant : je m'intéresse aux façons de se libérer quelque peu de l'architecture.

Il y a donc, au travers de ces différents systèmes, une espèce de recherche exploratoire sur un travail esthétique qui consiste à pouvoir intervenir sur la présence de l'architecture, sur sa prégnance. L'architecture est quelque chose de lourd, de visible, quelque chose d'extrêmement encombrant : je m'intéresse aux façons de se libérer quelque peu de l'architecture.

Melvin Charney, Montréal

FAIRE DE LA PLACE POUR LA «PLACE» :
DE LA PERVERSITÉ DU DISCOURS URBAIN

J'aimerais vous rappeler que ce qui a motivé ce colloque sur la place publique voit son origine dans un concours ouvert à des architectes et designers français. Comme d'autres, j'aurais pu vous présenter mes projets en cours à Berlin ou à Londres. Il m'apparaissait plus important d'ignorer ce jeu médiatique afin de pouvoir mieux situer ce qu'est la place publique dans une ville nord-américaine comme Montréal.

La première chose à noter est une idée importante à saisir. En Amérique, les notions de lieu et de ville ont d'abord une puissance mnémonique et ce, avant d'être une représentation des traces. Ici, la mémoire a toujours été plus importante que l'histoire. La mémoire de la ville est plus percutante que sa matérialisation, à l'origine guère enracinée dans le sol.

Ce déplacement dans le temps et l'espace soulève aussi une dislocation des catégories habituelles, là où nous situons les mécanismes et les signes par lesquels l'architecture est saisie et comprise. C'est-à-dire qu'il a engendré des renversements à la base des concepts traditionnels. Par exemple, vers la fin des années 1970, l'architecte new-yorkais Peter Eisenman a construit une maison, la «House VI», avec un escalier dont la forme a été reconstruite à l'envers, au plafond, comme dans un miroir. C'est formidable! C'est la matérialité de la figure d'un escalier exprimée à la fois comme mémoire et comme histoire. Retrouver un dispositif semblable, même plus sophistiqué, qui date des années 1940, à Montréal, à deux pas du carré Viger, cela pose problème, tout en étant très révélateur de ce qui se passe à Montréal et ailleurs en Amérique : le déplacement critique d'un savoir urbain est vécu au quotidien plutôt que dans les propositions des architectes. En fait, l'architecture institutionnalisée semble, depuis au

161

moins 100 ans, à peine saisir la réalité des transformations radicales du milieu matériel qui nous entoure et qui, pourtant, nous relie au discours authentique des racines du modernisme. L'impact de l'Amérique sur l'imaginaire architectural en Europe à partir de la fin du XIXe siècle est significatif. On peut dire que l'architecture moderne du début du XXe siècle a été inventée sur les chantiers américains, institutionnalisée en Europe – de manière «perverse» – et réimportée par la suite comme discours officiel en Amérique.

Montréal est une ville américaine. Mais, grâce à un accident de l'histoire qui a refermé le Canada français sur lui-même pendant deux siècles, la ville a pu conserver ses origines européennes et demeure encore à la fin du XXe siècle à la croisée de l'Europe et de l'Amérique. À Montréal, pour pouvoir retrouver les traces d'un savoir urbain «classique», rien ne sert de faire le Grand Tour européen. Nous ne sommes pas en Europe, mais nous sommes là; nous ne sommes pas en Amérique, mais nous sommes là.

Montréal est avant tout une ville de rues et de places. Ceci est

évident dans ses premières traces. La structure essentielle de la ville est définie par une trame de rues orthogonale rudimentaire, par l'îlot urbain comme unité fondamentale, par une maison type structurée par des murs mitoyens, et par la rue et la place en tant qu'entités spatiales définies. La force primaire de cet ordre urbain se trouve aussi dans la continuité entre la structure de la ville et celle d'un système de division des terres agricoles – les rangs. On peut dire que tout le Québec a été colonisé comme une ville : les rangs ne sont que des îlots urbains désurbanisés. Au milieu du XIXe siècle, avec l'expansion urbaine, on peut voir que les îlots ont été tracés sur les divisions cadastrales des rangs agricoles. Il suffisait d'implanter les rues sur les lignes de propriétés et les îlots se divisaient tout naturellement.

Ce qui est aussi important de reconnaître c'est que ces premières implantations ne sont que des structures abstraites
– des trames potentiellement organisationnelles – qui, par la
suite, ont été différenciées par l'usage et l'adaptation. Ces
structures proto-urbaines ont évolué dès le milieu du XIXe
siècle vers la matérialisation d'une ville «classique», parfois
mal tissée, mais néanmoins une ville où on retrouve toute la
gamme des «faits» qui constituent le savoir urbain en
Occident. Ce processus de différenciation se voit, par exemple, dans le déplacement de l'église Notre-Dame, au cœur de
la vieille ville. La première construction datant du XVIIe siècle
était située au milieu de la rue Notre-Dame, alignée avec le
tracé du chemin du Roi qui amenait les colons vers l'Ouest :
un bâtiment événementiel situé comme un fragment d'une
trame «majeure» superposé sur la trame «mineure» de la
ville. En 1829, elle a été remplacée par l'édifice d'aujourd'hui
et par une place – la place d'Armes – créée sur l'emplacement de la première église. Un ancien monument situé au
milieu d'une rue majeure a été transformé en place comme
événement majeur dans la ville et le monument est devenu
l'événement en contrepartie de cette place : la logique
inhérente dans la première superposition proto-urbaine a été
rendue visible. Ces transformations sont reflétées dans la
mutation de l'architecture de ces deux églises. La construction
de 1829 est un monument en pierre qui reprenait des constructions en bois d'églises dites gothiques qui, elles-mêmes,
reprenaient de véritables constructions gothiques en pierre
qui reprenaient des constructions encore plus anciennes et
enracinées dans l'histoire profonde, et que l'on retrouve dans
les premières églises érigées partout au Québec. C'est ainsi
que l'urbanité de la ville s'est affirmée à Montréal : des figures
repliées et refigurées à partir de glissements encourus dans

163

l'usage des structures inhérentes aux premiers établisse-
ments introduits dans ce «Nouveau Monde».

Au début du XXᵉ siècle, Montréal est passée d'une ville
«classique» à une ville «métropole» avec un ensemble d'édifices,
incluant les silos à blé, qui ont tant influencé les pionniers du
Moderne en Europe. Et, au milieu de ce siècle, la «métropole» est devenue une ville «éclatée» et régionale, un genre
de territoire urbain fragmenté en super-îlots denses, espacés
par des friches et retissés par des autoroutes. On se retrouve
aujourd'hui dans une autre forme d'urbanité où tous ces
états précédents de la ville se fondent, vivent et fonctionnent
l'un dans l'autre. Les places – comme la place d'Youville – ne
sont que les résidus de la ville «classique». Il faut noter que
dans une ville dite «contemporaine», il n'y a plus de place
pour une «place». Néanmoins, le Montréal contemporain
reste une des seules villes en Amérique du Nord où le centre
est dense et habité. La signification de la ville «classique» est
toujours saine et sauve à Montréal, quoique fragilisée.

Voici un bref aperçu esquissant le fondement d'un discours sur l'urbanité de Montréal et sur la place de la «place».
L'intention ici est de souligner qu'entre l'idéalisation de la
ville et sa destruction on assiste à une distorsion tragique :
l'effacement des distinctions entre «lieux» (inscrits dans la
ville) et «non-lieux» (périphérie, frange de la ville). Les pratiques
urbaines sont dominées par une méchante nostalgie soit
pour l'ordre «classique», soit pour le désordre dit «néo-moderne».
Trop souvent, on assiste à l'insertion d'un espace anti-urbain,
simulant l'ère héroïque du modernisme ou l'abandon et le
vide sont proposés au nom de la création urbaine. Il est
important d'insister sur la spécificité de la forme des lieux,
sur l'aspect surréel et hétérogène qui sont inscrits dans la ville
actuelle, comme de souligner la distinction entre le moderne

et l'actuel : on ne peut repérer la cohérence du «cadavre exquis» de la ville qu'à partir des fragments et des événements hors-mémoire. Pour préciser la nature de l'urbanité contemporaine j'ai, comme Viollet-le-Duc l'a fait au siècle dernier, élaboré un dictionnaire raisonné. Depuis les années 1970, je découpe et classe des images provenant des services de presse qui montrent, entremêlés, des gens, des édifices et des villes arrachés à leur quotidien par un événement et projetés aux yeux du monde par les services de presse à la une des journaux. Le *Dictionnaire* que j'ai conçu est fondé, comme celui de Viollet-le-Duc, sur une architecture événementielle. Il nous fait entrer dans l'espace totémique des images photographiques les plus vues. Si la fonction d'un monument est de se montrer, voici donc un relevé des lieux imprégnés d'un cachet, au moins pour un certain temps, assignés par les médias, sinon par la mémoire collective. Un dictionnaire est auto-référentiel; les mots renvoient à d'autres mots. De la même manière, les images du *Dictionnaire* se définissent les unes par rapport aux autres – la visibilité de l'une pousse à la vue de l'autre. Lorsqu'on voit à la une de la presse la Piazza del Duomo à Milan, ce que l'on repère c'est un «fait urbain», un monument, un lieu de rassemblement aussi bien qu'une figure typique de ce lieu. La figure est le lieu. Et le lieu se définit une «place» urbaine; c'est-à-dire comme une figure qui dépend du reflet d'une intériorité à l'extérieur, de dualités, de résonnances d'un édifice dans un autre. Au fond, cette dualité se retrouve dans la réplique matérielle de la présence potentielle des foules – c'est-à-dire que la figure de la place matérialise la foule en son absence et relève les traces d'un miroir collectif, d'un narcissisme collectif.

Dans le cas de l'œuvre «Les Maisons de la rue Sherbrooke», que j'ai réalisée en 1976, j'ai travaillé à superposer une partie absente de la ville dans la ville existante. En fait, j'ai construit l'image miroir de deux édifices existants sur deux coins de rues opposés afin de centrer l'axe de la rue vers une église et vers une place située à une certaine distance, dans l'ancien cœur de la ville. L'intention de la pièce était de dégager une mentalité urbaine imbriquée dans les traces les plus familières de la volonté collective et que l'on retrouve encore dans certaines villes. L'insertion de cette pièce déplaçait des couches du visible à d'autres couches plus sédimentaires qui soutiennent les fondements des rapports urbains.

Des questions sur la figuration sont soulevées par cette pièce car la contrepartie de la représentation ne me semblait pas se trouver dans l'abstraction, ni dans la non-figuration, mais plutôt dans un affrontement avec ce qui représente cette cruauté advenant avec le surcroît des signes qui nous submergent dans le monde contemporain, ces signes qui se neutralisent les uns, les autres, là où rien n'est saisissable.

«Les Maisons de la rue Sherbrooke» ont soulevé beaucoup de polémique, l'œuvre ayant été censurée et démolie précipitamment, une décision du maire de la ville. Par la suite, à Milan, l'extrême gauche l'a interprétée comme relevant d'un réalisme social, une

œuvre que le peuple pouvait s'approprier – comme une Piazza del Popolo à Rome avec ses deux églises où l'une se reflète dans l'autre. À Paris, un monarchiste de «cœur» a reconnu dans le dédoublement des façades l'ancienne place Louis XV – place de la Concorde. Or, pour moi, ce dédoublement des frontons soulevait visiblement la question de l'appropriation d'une figure du narcissisme collectif inhérent aux nombreuses formations urbaines. (Fig. 1).

J'ai avancé ces notions de structures inhérentes et transformables ainsi que l'idée d'un miroir urbain au moment de la réalisation du Jardin du Centre Canadien d'Architecture, à Montréal en 1987-1991. Ce jardin se trouve en face de l'édifice du Centre, de l'autre côté d'un boulevard, en bordure d'une autoroute, sur une colline qui surplombe un quartier ouvrier datant de la fin du XIXe siècle. Ce quartier a été rasé par l'urbanisme des années 1960, comme si Montréal avait déclaré une guerre contre elle-même. Sur ce terrain vague au-dessus d'un quartier vague, j'ai alors superposé une série de «portraits» conçus à partir de tout ce qu'on pouvait voir dans et autour de l'endroit. Puisqu'il semblait ne rien y avoir, j'ai archivé autant les absences que les présences. J'ai créé des installations qui retracent des édifices significatifs qu'on peut imaginer pouvoir repérer depuis cet endroit; ces installations ont été par la suite superposées à

3

des figures saillantes du Jardin, elles-mêmes placées par-dessus d'autres «portraits» du même endroit dans son état rural, etc. C'est-à-dire que j'ai bâti les figures d'un réel qui ne pouvait se valider que par sa réflexion dans un autre miroir et le lieu ne devenait rien de moins qu'un miroir de lui-même. Ainsi, il y a dans le Jardin des murs de pierres et des rosiers semblables aux murs de pierres des champs ornés par des rosiers, qui relèvent d'anciennes parcelles de terres divisées par des murs de pierres aboutissant à des «Termes», ou plutôt des «Hermès», des colonnes sur lesquelles on retrouve dans le Jardin des bustes d'Hermès traduits par le portrait des clochers d'églises sulpiciens que le public peut repérer au loin et dans lesquels on peut déceler les cornes des cultes crétois ... (Fig. 2).

Une de ces colonnes, la «Tribune», fait face à une rue qui mène vers les ruines d'un fort qui avait été construit au début du XVIIe siècle par les Sulpiciens. On y retrouve le fronton du séminaire sulpicien érigé derrière l'ancien fort; on y voit aussi l'évocation d'un tableau de Watteau, «La perspective», où apparaît le fronton du château de Montmorency, cent ans après que Le Nôtre en ait dessiné ses jardins. Le vert du cuivre d'une partie de la «Tribune» renvoie à la fois aux statues qui ornent les parapets des églises au Québec et au panneau de signalisation à l'entrée de l'autoroute, à côté du jardin. Le tout est suspendu à une structure qui s'apparente à celle qu'avait dessinée Lissitsky pour Lénine. Et la nuit, il y a aussi dans ce jardin urbain du musée un «De Stijlt dansant» qui paraît comme un spectre de saint Sébastien logé dans l'espace d'une trope radicale de l'iconographie du XXe siècle. Tout ceci pour inscrire l'existence d'une «Ville» dans cette ville contemporaine qu'est Montréal. (Fiq. 3).

DES SURPRISES FERTILES

Je remercie Romaric d'avoir fait un tableau de moi me montrant un petit peu bon à tout, bon à rien. C'est exactement ça, parce qu'en effet, je ne suis spécialiste en rien : je ne suis pas architecte, je ne suis pas urbaniste, je suis...euh...on n'sait pas! C'est que je suis comme vous, exactement comme vous, précisément. Un peu plus gros, peut-être, mais j'ai les mêmes problèmes, les mêmes inquiétudes; je vis dans une ville à peu de choses près comparable à la vôtre. Je ne crois pas vraiment qu'il y ait d'énormes différences entre Montréal et les autres villes du monde. Je crois que tout le monde rencontre à peu près les mêmes problèmes : tout le monde a deux yeux, deux jambes, deux bras, je m'en tiendrai donc à des généralités.

Je n'ai pas non plus envie de proposer des choses définitives, mais plutôt une petite approche comme ça, à la «bricolo». Ainsi, je me demande si, à l'heure actuelle, il est pertinent de s'intéresser à l'architecture; je me demande si cela en vaut encore la peine. En d'autres termes, est-ce encore utile? Dans la mesure où, en ce moment, tous nos enfants sont soit devant la télévision en train de regarder «Starsky and Hutch», soit en train de jouer au «Game Boy» ou au «Nintendo», on se dit que cela ne sert pas à grand chose d'aller construire un immeuble, puisque si l'on met un cube qui ne prend pas l'eau avec une bouche d'aération, cela suffira amplement. Je crois que c'est un peu là où nous en sommes. De nos jours, on fait des villes tellement inintéressantes que personne n'a envie d'y aller et qu'il vaut mieux rester chez soi.

J'ai quelques chiffres tout à fait étonnants : le marché du scooter – vous savez, les petits jeunes qui se déplacent dès

171

qu'ils ont 16 ans et qui sillonnent toute la ville avec leur petit scooter, un rencard à droite, un rencard à gauche –, ce marché a chuté de 60%. Ce qui était auparavant un véritable outil de communication pour que les jeunes puissent se rencontrer dans un village ou dans une ville, un tel outil n'existe pratiquement plus. Ce qu'ils achètent à la place? Un Nintendo, bien sûr! Le marché du vêtement est tombé à peu près dans les mêmes proportions. Pourquoi aller s'habiller, puisque, de toute façon, on n'a pas tellement envie de sortir? Pourquoi s'acheter un scooter? Pour aller où? Pour voir quoi? D'ailleurs, qu'est-ce qui diffère aujourd'hui d'un coin de rue à un autre? Je crois que c'est à peu près là que cela se passe. Qu'est-ce qui pourrait donner envie, aujourd'hui, d'apprécier la ville? Personnellement, je ne vois pas. Je voyage beaucoup et c'est vrai que, de plus en plus, quand j'arrive dans n'importe quelle ville du monde, je reste dans ma chambre, je regarde la télé parce que je n'ai pas d'envies, pas de surprises, rien de particulier; je ne vois rien qui m'attire réellement, qui me force à sortir. Alors, il me semble que c'est un peu grave. J'ai comme l'impression que le sens de la société est schizo-phrénique, c'est-à-dire qu'on n'aime pas! On a commencé par ne pas aimer la race de l'autre, après on n'a pas aimé le pays de l'autre, après c'est le village de l'autre, après c'est le voisin, après c'est sa mère; il y en a même qui n'aiment plus leur mère, qui lui font un procès – j'ai vu ça à la télévision cette nuit; il y en a qui n'aiment plus leurs enfants et bientôt on ne va plus s'aimer soi-même. On est en train de se case-mater parce qu'on est en train de perdre l'habitude de se parler, on est en train de perdre l'habitude de se voir. Si je vous vois, si je vous parle même, bien sûr, si vous ne dites pas la même chose que moi, je comprendrai pourquoi. Parce que je vous ai vu, je comprends; c'est un peu comme des circonstances atténuantes. Je comprendrai en me disant que finalement je ne suis pas d'accord avec vous mais qu'après tout vous n'êtes pas un mauvais bougre! Tandis que si je reprends simplement votre position, que j'ai rencontrée par un journal ou par un machin comme ça et que je reste chez moi, comme ça, je finirai par me dire : «Grrr...gros con, sale con, je le hais! Je le hais! Je le tuerai et dès que ce sera possible, je le tuerai, ça c'est sûr! Je le désintégrerai, gros con!» J'ai de plus en plus l'impression que ça va mal aller.

Je crois que c'est en partant de cela que le problème de la ville commence à être intéressant. Ou alors on lâche tout de suite, on commence à acheter des fusils à pompe, des «Riot Guns», et on s'équipe en attendant Beyrouth : ce qui va nous arriver évidemment un jour ou l'autre, il n'y a qu'à regarder les élections françaises. Ou alors on se dit que notre rôle, c'est d'essayer d'arrêter ça. Mais comment retarder le pire? Je ne crois pas que ce soit un travail d'expert. Je crois que c'est notre responsabilité à tous!

En tant que designer de cadeaux de Noël, de brosses à dents, de balais à chiottes et de cafés à la mode, qu'est-ce que je me dis? Faire des immeubles, des bâtiments, c'est quoi? Si c'est pour mettre les gens à l'abri de la pluie, du froid, du chaud, je crois que c'est déjà fait. Tout le monde sait à peu près le faire et sûrement mieux que moi. Alors, je me dis que puisque j'ai la chance d'avoir un petit moyen d'expression, que de temps en temps, il se trouve des gens assez fous pour dépenser dix dollars sur moi, je me dis : Qu'est-ce que je vais faire? Le seul but que je dois viser n'est pas de faire du beau, j'en serais bien incapable, je n'ai aucun goût. Je ne dois pas faire non plus des choses «culturelles», car vraiment je n'ai aucune idée sur la question. Ce n'est pas que je méprise la culture mais je ne sais pas ce que c'est. Ce que je crois, c'est que mon rôle est de donner de l'émotion, d'essayer de réveiller les gens, d'essayer de les secouer. Dans une société où je vois les gens se «passiver» de plus en plus – si vous me passez l'expression – il me semble que la ville a un rôle, que l'architecture a un rôle, c'est de réveiller les gens. Pour ce faire, il faut prendre les mêmes armes. Qu'est-ce qu'ils font à la télé? Pourquoi ça les fait marrer la télé? Que ce soit «Starsky and Hutch» ou je ne sais quelle série américaine à la con. La réponse c'est qu'ils en tuent quand même deux ou trois à l'heure, qu'il y a du sang qui gicle. Des bagnoles, ils en mettent sur les toits toutes les dix minutes! Les gonzesses, on les nique, on les viole! Voilà des trucs qui attirent l'attention. Et, en effet, quand ils sortent, c'est vrai qu'ils trouvent cela un petit peu moins rigolo.

Alors, je rêve d'une ville qui ne soit pas vraiment là pour jouer à la ville, mais qui soit là plutôt comme un terrain d'é-motions, un terrain d'expériences. Imaginons une sorte de grand jeu d'échecs, bien que je n'aime pas le terme «échecs», mais enfin imaginez un grand damier ou un grand jeu de dames, c'est plus mignon! Cela m'intéresse déjà plus un grand jeu de dames – oui mais ça ne va pas avec le reste –, aussi, je suis mieux de revenir aux échecs où il y a une petite souris qui se balade et cette petite souris tombe en face du roi et elle fait : «Wow! le roi! Wow! bordel, qu'est-ce que... oh! wow!» Puis elle continue vers un autre coin de rue et tombe sur la reine : «Wow! la reine! Wow! la reine! Ouf!...» Elle continue et il y a le chevalier, la tour et tout ça. Et moi, je crois que c'est un peu là que ça se passe. Il faut donner aux gens les moyens de se réintéresser à leur ville en n'ayant aucun scrupule sur la violence de la chose, c'est-à-dire que si à la télé on nous viole trois gonzesses par jour, et bien nous devons les détourner de leur télé et de ses horreurs en attirant l'attention sur la ville et donc sur la vie. C'est ça qui m'intéresse vraiment.

Ce qui m'importe en effet, c'est qu'il y ait un monsieur qui passe devant un immeuble que j'ai fait, n'importe où, on s'en fout, et qu'il le voie et se dise : «C'est incroyable cette histoire-là, c'est incroyable ça!» Aujourd'hui, si je passe devant un immeuble de euh... je ne vais pas citer de nom... je peux sans doute me dire : «Que c'est beau ça! oh! ce que c'est chic! oh là là! la couleur est magnifique! Oh! ce que c'est beau!» Ou alors : «Ah! c'est à chier! ah! le con! ah là là là là là!» Mais ce genre d'attitude ne correspond pas trop à ce que je recherche. Ce que je veux, c'est que le type prenne une claque! Vous savez qu'entre l'hémisphère droit qui est celui de la raison – en fait, je ne sais pas exactement et j'espère qu'il n'y a pas de médecin dans la salle – et l'hémisphère gauche qui est celui du rêve, j'aimerais bien qu'il y ait une étincelle, une petite secousse comme ça! Et que le type continuant son chemin se dise : «Mais attends, attends!», puis qu'il rentre chez lui et se dise cette fois : «Oh la la! J'ai mangé de l'ail, j'ai une haleine de chien! Tiens, je vais me laver les dents.» Il tombe alors sur ma brosse à dents et s'exclame : «Mais qu'est-ce qu'elle m'a acheté ma femme? Qu'est-ce que c'est que ça? C'est une brosse à dents ça? Tiens, et en plus ça marche! Ouais, ouais...c'est incroyable ça!» Un peu plus tard, il tombe sur un de mes cendriers et se demande si c'est vraiment un cendrier. Finalement, petit à petit, je les gratte, je les irrite, je les secoue légèrement sous n'importe quel prétexte. Je le répète, une brosse à dents, un balai à chiotte, tout est bon. Mais à chaque fois, je me sers de ce prétexte pour leur montrer que tout est possible. Pour leur dire que si un immeuble peut ressembler à cette grosse bite dorée, qu'une brosse à dents peut ressembler à une plume, que si un cendrier peut ressembler à je ne sais quoi, et bien que lui aussi peut ressembler à autre chose, que sa vie peut ressembler à autre chose.

Autrement dit, dans une société où, je le répète, on ne voit plus que des spectateurs – spectateurs de leur vie –, où on vend aux gens leur vie «clé en main», où on leur dit quoi faire sans sortir de chez eux, je voudrais créer des acteurs. Je crois qu'aujourd'hui, avant de se demander ce qui est post-moderne ou néo-classique, je voudrais surtout que l'on recherche l'émotion. Après cela, on verra, parce que, je vais vous dire, on s'en fout! On s'en fout un petit peu, que ça soit bien ou mal. Je crois que la société est autonettoyante et qu'elle l'a prouvé. Elle est à «pyrolyse» – je dis ça pour les dames –, je crois aussi que la ville est autonettoyante, c'est-à-dire que le médiocre disparaît et qu'il reste soit les choses intéressantes soit les monstres fascinants. La tour Eiffel, ce n'est quand même pas grand-chose et pourtant c'est le succès de la France! Je crois qu'on peut se permettre beaucoup d'erreurs, et comme vous l'aurez remarqué, je ne me gêne pas! C'est dommage que je sois venu sans mes photos, parce que j'aurais pu vous le montrer! On peut se permettre des expériences, on peut se permettre en fait n'importe quoi, car c'est dans la tête que ça se passe.

Pour en revenir à Montréal, je parlais avec un monsieur très important chez vous qui s'appelle M. Lavallée, je crois, et qui me disait que Montréal avait enfin un plan directeur. Je dis bravo, génial! Et, en plus, il me l'a expliqué. Très bien, génial! C'est vrai, je ne plaisante pas! Je me suis juste permis une petite remarque. Je ne vais pas m'en mêler, je n'habite pas à Montréal. Mais je lui ai dit : «Écoutez, s'il vous plaît, faites ce que vous voulez, vous avez parfaitement raison, ça m'a l'air très bien fait, mais s'il vous plaît ne soyez pas trop réducteurs, ni castrateurs, ne faites pas comme à Paris, ne faites pas comme en France, sous prétexte de bon goût, parce que c'est vrai, nous les Francais, on est quand même la capitale du bon goût! On a tout inventé dans le bon goût! Les gonzesses et le bon goût, c'est nous, pardonnez-moi! Pourtant, ce que je vois, moi, à Paris et en France, c'est qu'il y a une censure de la création, c'est-à-dire qu'il y a des gens qui décident avant même que cela existe et je crois que c'est un petit peu ça le désastre. C'est vrai que Paris est une belle ville, mais enfin elle avait déjà un peu commencé avant nous, et c'est vrai que Tokyo c'est tarte. C'est vrai que Tokyo c'est un énorme tas de boue, un chaos, mais je ne vous cache pas que j'ai un peu plus de plaisir à me promener dans Tokyo que dans Paris, parce qu'à Tokyo, je vois le pire et le meilleur. Je vois des immeubles à chier – si vous me permettez l'expression – et je vois des choses extraordinaires, des choses qui essaient, des choses qui vivent. J'ai un peu l'impression que c'est par là que ça se passe; de l'expérience avant tout, après on verra.

Pourquoi ne pas prendre des exemples en France, parce qu'il y a aussi des choses terribles en France. Vous nous avez fait entrer dans le détail de Montréal. Je n'ai pas tout compris, mais je vais vous raconter aussi nos horreurs, car on en a. Imaginez donc qu'avant, dans le centre de la France, on avait de très beaux villages, très colorés, très italiens; un petit immeuble ocre rouge, un autre ocre jaune, un autre jaune souffre, un autre encore était vert. Petit à petit, par la peur de la peur, par le fait que. «On ne sait jamais, faudrait pas faire une erreur... le bon goût, c'est nous la France.» Alors, petit à petit, on a inventé quelque chose d'extraordinaire, une nouvelle couleur, qui s'appelle le ton «pierre». C'est extraordinaire le ton pierre! Dorénavant, c'est la couleur de la France! Qu'est ce que c'est? C'est pierre! Mais des pierres, il y en a de toutes les couleurs? Non, non! La nôtre elle n'est pas de toutes les couleurs notre pierre, non, non. Nous, c'est la pierre beige! Pourquoi beige? Parce que ce n'est ni blanc, ni marron, ni gris, ni rose; beige, ça me paraît bien! Alors, la France est devenue beige parce qu'on a peur de se faire engueuler; parce qu'on ne sait jamais, si on peignait un immeuble en rouge, vous imaginez? En France, on avait aussi des volets colorés. Oh! les beaux volets de toutes les couleurs! Une belle maison ocre rouge, des beaux volets violets, c'était beau! Beau ou pas, on s'en foutait un peu; c'est plutôt l'ensemble qui était drôle! Mais non, non, non, non, non! Tout ça c'est terminé! Maintenant, il faut voir le bois! Pourquoi? Je sais pas! Il faut vernir maintenant, il ne faut plus peindre; il faut que les façades soient «ton pierre», c'est-à-dire rien, et «ton bois», c'est-à-dire, rien! Est-ce que vous pouvez m'expliquer pourquoi? Je ne vois pas trop pourquoi, mais je sais bien que si je ne le fais pas je vais me faire engueuler!

Si simplement je peux servir à quelque chose dans ce colloque, c'est en disant : «Oui, occupez-vous de votre ville, mais ne pensez pas à l'architecture elle-même; on s'en balance des bâtiments.» Il a raison, Perrault, il faudrait vivre avec un petit peu moins d'architecture. Ne pensez pas à la ville en elle-même, pensez que tout ça n'est que support à l'humain, à l'aventure humaine, à l'épanouissement humain. C'est ça le plus important, c'est pas la peine qu'on vive dans un musée, qu'il soit moderne ou ancien, qu'on s'emmerde et qu'on en crève, et qu'on finisse par s'y battre. L'essentiel c'est que pour les gens qui y vivent, cela leur serve à quelque chose, que cela les aide – je le répète – à s'épanouir. Je crois que la ville dont on parle est faite avant tout d'aventures humaines et non pas d'histoires de pierre. La pierre, elle arrive toute seule, et il faudrait sans doute, en effet, qu'il y en ait le moins possible.

Voilà toutes les petites bêtises que j'ai inventées à la seconde même pour me rendre intéressant. Autrement dit, plus d'humain, moins de pierre!

Georges Adamczyk, Montréal

CLÔTURE EN FORME D'OUVERTURE

Ce colloque avait le défaut et le mérite de poser successivement trois lieux d'échanges correspondant à trois dimensions distinctes de la question générale. Le défaut, parce que les notions de place et de public, engagées dans des paroles si différentes, prises chacune dans leur souci d'authenticité, s'éloignaient progressivement des certitudes rassurantes de la langue. Mais était-ce vraiment un défaut que de laisser libre cours à la parole? Le mérite, parce que précisément le désordre, introduit dans la mécanique des processus de production de l'espace, allant de l'idée à la forme ou des besoins à la réponse, ou encore du savoir au pouvoir, ébranlait a priori les postures et les points de vue liés aux habitus de secteur des experts invités pour, au contraire, leur proposer un horizon d'interrogations très stimulantes sur ces mêmes processus.

Reprenons ces trois moments de la rencontre. Tout d'abord, celui de l'usage : les pratiques et les représentations communes et singulières; la place du public en quelque sorte dans l'énoncé de la commande, là où s'inscrit la reconnaissance des désirs. Ensuite, la réalisation concrète avec les freins, les supports, trouvés sur la route; avec aussi les contradictions dans le jeu des acteurs, dans leurs rôles et dans leurs responsabilités. Puis, pour clore, le moment de la conception des formes, de la vision du monde des créateurs qui aiment la ville, qui la respectent et qui, pour cela, hésitent et composent entre l'homogène et l'hétérogène, l'harmonie et la porosité, le temps long et l'événement, entre le savoir-faire et le savoir-vivre.

Cet éloignement arbitraire de la demande et de la création, en introduisant cette médiation incontournable des élus et des responsables politiques et administratifs, en la rendant présente et visible, comme une sorte d'arbitrage difficile d'un procès souvent invisible pour le public, nous aura permis de dégager un double problème qui appartient sans doute en propre à notre culture contemporaine : d'un côté, la difficulté de recouvrir par l'image de la place, l'idée de l'espace public et de ses formes, trouvées ou à créer; et, en contrepoint essentiel, cette question : quelles qualités peuvent apporter l'art et l'architecture, urbaine ou paysagère, qui feront lieux et qui seront reconnues comme publiques par le public? Dit autrement, comment concilier la nécessité de protéger le lien social qui unit l'œuvre à son contenu collectif intentionnel, avec une situation culturelle où la mouvance des opinions vers le flou consensuel prend la triste et correcte figure d'une collection de signes au sein de laquelle s'épuisent toutes les significations?

Tentons à notre manière de saisir quelques éléments de cette très belle réflexion que nous ont proposée les conférenciers et, modestement, d'en restituer la saveur polysémique.

Entre la loi et la coutume, l'autorité et l'illégalité, les représentations et les usages de l'espace public subissent les pièges du regard. Celui qui passe, celui qui s'installe, celui qui structure et aménage ces lieux. À loger trop rigidement l'usage dans les formes et à emprisonner les représentations dans des stéréotypes, nous risquons de tenir à distance la richesse de l'expérience, le merveilleux, la surprise, nous contribuons souvent à l'exclusion des uns et des autres, à l'expulsion des sujets au profit des objets.

Mais alors, comment définir la demande? Doit-on la définir? Ne faudrait-il pas se tourner plutôt vers l'offre, le don? Ici l'architecture et l'art auraient leur place, mais sans jamais trop se confondre. La fusion de leurs moyens, de leurs procédés et des produits qui en sont issus ne s'accorde pas à la nécessité qui justifie de distinguer leur travail particulier de la valeur symbolique – fusion et confusion dérivent souvent vers les rappels à l'ordre, contribuent peut-être à leur résurgence. Et cette constatation que les lieux les plus agréables à vivre ne sont pas toujours les plus beaux doit être méditée, face à la tentation d'une réparation esthétique des désordres apparents

L'espace public serait déjà là, à redécouvrir sous les sédiments cachés par les travaux de remblai, dans les zones de l'abandon, sur la jetée d'un port orphelin, ailleurs dans le temps, celui de la fête et celui du labeur, sous les feux magiques de la lumière, «du crépuscule à l'aube». Revisiter le port de Saint-Nazaire avec Yann Kersalé. Il nous faut réviser nos préjugés scénographiques trop marqués par tant d'opérations carton-pâte fondées sur la nostalgie. Accepter le décor de la vie quotidienne. Après tout, la ville est bien un théâtre. Mais ce théâtre est un théâtre du temps présent et il ne faut pas en fuir la scène qui seule nous donne accès aux souvenirs dont nous restons les seuls maîtres. Une autre mémoire que celle des antiquaires de la chose urbaine existe aussi en chacun de nous.

Et si le secret de l'espace public avait été perdu? L'espace public se confond souvent avec la place publique dont l'origine serait l'agora. Celle-ci serait un mythe bien vivant dans la culture de nos experts. Comme le rappelle Georges Leroux, dans un très beau texte sur Heidegger, ce mythe ne cache-t-il pas notre difficulté à penser la modernité toujours à accomplir? «Pas encore...», dit le philosophe. Et voilà la question des mots qui surgit. Si les lectures de la ville ont effectivement pris le dessus sur les enquêtes, comme le souhaitait Roland Barthes, n'est-il pas difficile de déceler ce

183

creux derrière les dénominations prétentieuses qui voudraient désigner nos espaces publics contemporains. Tous ces mots ne nous masquent-ils pas la question du vide. Plus encore! la question de la place ne surgit-elle pas au moment même où apparaissent d'autres questions? Toutes ces questions qui s'adressent à la qualité de l'existence dans un monde instable et incertain.

La production de ces espaces appelle de nouvelles complicités – mais aussi des distinctions – comprendre qu'aménager, c'est intervenir et intervenir, ce n'est pas nécessairement aménager. C'est aussi, sans renoncer à mieux l'orchestrer, tirer profit de la logique des secteurs de décision et d'action, ruser avec elle – s'appuyer sur la dépense technique pour libérer l'art. Malgré la réussite évidente de la place Berri à Montréal, c'est l'effort qu'il faudra consentir pour examiner attentivement les modes de collaboration entre les divers intervenants, en scruter leur pertinence, puis s'appuyer sur le meilleur de cette expérience pour en tirer des leçons sur le comment mieux faire ensemble.

Les élus doivent donner une impulsion, communiquer une vision, se commettre et se dégager de leur fonction d'arbitre présumément sans passion et sans intérêt. Ici, à Montréal, nous nous sommes engagés pour un retour du travail architectural et artistique dans la ville centrale. Non seulement nous nous sommes donné les moyens institutionnels d'agir avec la préparation d'un premier plan d'urbanisme mais, dès sa mise en application, nous nous sommes aussi imposé une politique d'acquisition d'œuvres contemporaines pour orner et élever le dessin de nos lieux publics. C'est par le biais de cette politique qu'avec un enthousiasme sans doute un peu hâtif, nous avons favorisé la rencontre des artistes et des architectes. Une histoire à suivre, sans succomber aux cultes des disciplines, peut-être même, plusieurs l'ont souhaité, avec une pointe d'indiscipline. Puissions-nous trouver l'inspiration dans cette merveilleuse œuvre urbaine réalisée par Kosuth à Figeac.

Enfin l'imaginaire a repris ses droits. Mais un imaginaire où l'impératif visuel s'efface au profit d'une stratégie de l'expérience sensible : qu'elle soit celle du promeneur «guidé par le hasard», ou celle du curieux qui sait reconnaître et sentir l'âme des lieux et nous la faire apprécier, ou encore celle du défricheur retrouvant pour nous les fondations géographiques et territoriales de la culture urbaine; celle des nombreux passagers de la ville avec leurs pratiques aussi mobiles que la nécessaire immobilité des sites construits pour les accueillir.

L'architecture doit-elle se faire discrète, faire place à la vie? Que nous dit la ville sur nos traditions? Mais aussi sur nos inventions? La place publique est latente, elle attend, dissimulée dans la légèreté des vides laissés par le poids des murs. Enfin que faire de l'architecture aujourd'hui, à l'heure du spectacle organisé et généralisé qui nous confine à la passivité civique? Les créateurs de cette culture industrielle que nous habitons, comme une nouvelle nature, doivent-ils s'efforcer de nous surprendre, de nous défamiliariser, de nous réveiller?

Ces échanges n'avaient pas la prétention de faire surgir un mot d'ordre, des conduites à suivre, des consignes ou des prescriptions. Ils cherchaient surtout, je crois, à nous permettre en toute liberté d'esprit et avec franchise de poser nos compétences, nos parcours, nos interprétations, dans cet espace public qui a pris ici la forme de ce nouveau théâtre pour la danse nommé «l'Agora de la danse» –fortune de l'Antiquité! – où nous avons su nous écarter des manies et des platitudes particulières à cette mode que sont devenus les colloques. La question s'impose : ne nous faudra-t-il pas dépister les genres toujours changeants et multiples qu'empruntent les lieux d'expressions publiques de la culture urbaine?

Sur le chemin qui va du mythe au roman, de l'académie à la gare, de la place aux boulevards, la pensée poursuit son trajet sans jamais toucher son but. Les territoires de l'espace public ont une logique. Aucune doctrine n'en épuisera le sens. Risquons une vision fugace. Cette logique, c'est un peu celle des sujets fatigués d'être interpellés par les rassemblements obligatoires et qui cherchent à s'installer librement parmi les autres. Trouver son endroit! L'artiste qui saura apporter de la dignité aux gestes les plus humbles sera toujours le bienvenu dans la communauté.

Montréal du nouveau monde accueillait pour quelques jours des penseurs et des créateurs français. D'un rivage à l'autre, le transport des impressions finissait par se confondre avec les mouvements de notre grand fleuve, nous mettant tous à l'unisson d'un nouvel esprit d'exploration pour aborder le XXIe siècle. L'histoire, qui nous avait temporairement séparés, nous invite maintenant à nous rapprocher pour partager, dans les mots qui nous unissent, les rêves d'une place ouverte à tous dans la cité.

François Barré, Paris

PROBLÈMES ET INTERROGATIONS
EN GUISE DE CONCLUSION

Je n'ai pas particulièrement l'esprit de synthèse et je ne me sens pas un homme de conclusion. Je vais donc proposer quelques bribes de pensées un peu éparses. Je voudrais quand même réagir à ce qu'a dit M. Starck dont je trouve le discours étonnamment stimulant. Il y a quand même des trucs qui me gênent un peu dans sa démarche, quelque chose qui me paraît relever, et je ne voudrais pas avoir l'air flagorneur, d'une capacité qu'il a et qui n'est pas l'apanage de tous. D'une manière généreuse, il imagine que chacun ayant cette aptitude à l'invention, le seul fait de la mettre en œuvre nous propulserait dans un monde moins désordonné et donc, plus vivable qu'aujourd'hui. La liberté – tant pis si j'ai l'air de faire du catéchisme – c'est la liberté du fort contre le faible. Il me semble qu'il y a des choses sur lesquelles on peut s'interroger, la spéculation immobilière, par exemple. Ce que je partage avec Philippe Starck, c'est cette espèce de crainte de la patrimonialisation, si l'on considère que le bâtiment public qui s'est le plus construit dans le monde depuis dix ans, celui qui a été le plus publié par les revues d'architecture, c'est le musée. D'ailleurs, vous en avez beaucoup à Montréal et il y en a énormément en France. Le musée, c'est le bâtiment culturel le plus répandu. Au Japon, il y en a de plus en plus. On a, en outre, et toujours davantage, le souci de protéger la pierre. D'une certaine manière, une société qui n'a plus de projets n'a plus qu'à se remémorer, à célébrer et à patrimonialiser. Il y a là, à mon avis, quelque chose de mortifère, de funeste et d'assez accablant. Je crois que de tout temps la ville s'est faite sur la ville, l'art s'est fait sur l'art et qu'à force de vouloir trop réglementer et de trop se tourner en arrière (la rétrovision), on est dans la position du rameur qui fonce, le dos tourné. Les créateurs, comme Philippe Starck, sont les bienvenus parce qu'ils inventent. Encore faut-il qu'ils puissent inventer. Mais la liberté pour la liberté doit se mesurer à l'aune de l'éthique et de la raison.

Il y a par ailleurs le problème de l'objet. Aujourd'hui, la création dans la ville concerne-t-elle encore des objets qui viennent étonner, surprendre? Au contraire, par rapport à une histoire qui s'est accumulée et sans que cela prive du plaisir de l'invention, ne serait-elle pas quelque chose d'un ordre plus discret, ne concernerait-elle pas l'effacement autant que la présence, tel qu'Hondelatte a pu en parler ou également Dominique Perrault?

Alors, pour ce qui est d'une synthèse qui n'en prendra certainement pas la forme, j'ai relevé un certain nombre de problèmes qui, au fur et à mesure du déroulement des interventions, me laissaient de plus en plus perplexe tant les questions posées sont complexes. Le premier concerne cette éternelle question du mythe de la place. On a l'impression qu'on discute en effet d'une construction imaginaire, d'une

construction mentale essentielle à notre image globale de la ville, à notre fantasme de l'urbain, quelque chose qui, encore une fois, n'a plus de valeur opératoire et relève simplement d'une sorte d'aspiration à retrouver l'agora. Je trouve que Michel Herrou l'a très bien montré en évoquant à la fois le lieu et le rassemblement, la permanence et l'actualité. Il s'agit au fond de la gestion directe du territoire, d'une démocratie directe. Il me semble qu'il y a là quelque chose de mythique, d'admirable, dont on a quelques traces, mais qui ne correspond plus à l'usage de la ville, aux capacités de composition de la ville, à la manière dont nous y vivons. Ce mythe-là mériterait d'être réactualisé et d'être nourri par une réflexion sur la ville et sa typologie. À mon avis, on a soulevé un véritable problème concernant Montréal, mais qui peut être posé exactement de la même manière pour des villes françaises. En parlant de la place, on a parlé de deux choses à la fois, du lieu et de sa pérennité, d'une part, et du rassemblement et de sa mobilité, de son caractère éphémère, d'autre part. On est passé constamment de l'un à l'autre, de l'usage à la topographie. J'ai beaucoup apprécié l'intervention de Jacques Rousseau, quand il parlait de la rue de Montréal, comme d'une suite d'événements, de festivités dans l'usage, entraînant une nouvelle définition de la place, la rue étant, d'une certaine manière, une place, mobile et temporaire. On se retrouve face à des problématiques différentes qui concernent l'usage et l'appropriation. À cet égard, il va de soi que tout lieu utilisé est approprié et j'ai été un peu troublé par la manière dont Perla Korosec-Serfaty en parlait, sans doute parce que je n'ai pas une connaissance suffisante de Montréal et de ce qu'est la fréquentation, l'appropriation de l'espace public. Par contre, je crois important de maintenir cette distinction entre l'usage, avec ce qu'il peut avoir de quotidien, d'éphémère, de banal, de furtif, de sans importance, d'inachevé, et ce quelque chose qui participe d'une pérennité de l'urbain, d'une pérennité de l'archétype et du mythe, de ce que Jacques Rousseau a appelé la place savante. Il a dit une chose à laquelle j'ai été très sensible : quand il pense à une place, il la pense dans l'attente du public. Il me semble qu'il y a deux types de relations, celles des lieux d'attente et celles des lieux de représentation. Comme l'a montré Michel Herrou, la place a toujours cette espèce de dualité de l'Hermès. Il convient donc de réfléchir davantage à ce qu'est la nature de l'espace urbain pour essayer d'inventer d'autres manières de l'utiliser, mais aussi d'autres manières de le configurer, afin qu'on ne soit plus constamment à

189

revendiquer cet archétype de la place. Il y a sans doute dans cette revendication une nostalgie qui empêcherait de déboucher sur l'invention, et j'en reviens à ce que disait Philippe Starck.

Un troisième propos est revenu constamment, celui de la relation entre création et participation, en d'autres termes, entre composition et usage. L'un des intervenants a dit, à un moment donné, et sans doute à juste titre : «On est beaucoup plus démocratique au Québec que vous ne l'êtes en France dans la relation à l'État.» Cette question de la relation entre démocratie et création m'intrigue et je n'ai pas de réponse. Savoir pour qui on fait la ville, ce qu'est la réalité d'une demande sociale, dans la mesure même où elle pourrait se formuler, relève bien sûr d'une préoccupation démocratique. Comme beaucoup d'autres, il m'est arrivé de militer dans des mouvements participatifs. J'ai bien connu les gens qui luttaient dans le quartier des Marolles à Bruxelles, au sein de l'A.R.A.U. J'ai partagé toute cette conviction, j'allais presque dire, cette idéologie pratique d'une énonciation par l'usager de ce que doit être la création de son cadre de vie et, pourquoi pas, la création tout court. Il me semble qu'il y a là un danger terrible de reproduction des modèles dominants. L'expérience qu'a faite Lucien Kroll en ville nouvelle, en jouant totalement ce jeu et en répondant d'une certaine manière à ce qu'était l'expression de la demande par les futurs habitants, l'a amené à reproduire un pavillonnaire connu, déjà énoncé. Je crois qu'il y a là une sorte d'illusion démocratique qui est une erreur sur ce que devrait être l'altérité. On a beaucoup parlé de l'altérité et on a interrogé les artistes à ce propos, mais je crois que la meilleure considération qu'on puisse avoir pour l'autre est d'être là soi-même. Au fond, le problème de la démocratie par rapport à la place publique, c'est qu'on a pas beaucoup d'exemples de villes démocratiques où l'on trouve dans la forme de la ville et dans son usage quelque chose qui nous fascine. À chaque fois que l'on donne des références, ce sont des références de villes historiques, prédémocratiques. Mais le problème est plutôt de savoir comment on essaie de gérer ce rapport à la création, ce rapport à quelque chose qui d'une certaine manière laisserait dans la ville un reste. Si on essaie de voir ce qu'est la ville, Hubert Tonka nous l'a dit, c'est le vide. On peut dire, d'une certaine manière, que la place, c'est la vacance dans l'espace global de la ville, que c'est le reste, le lieu généraliste. On en a parlé au cours de ces deux jours : il y a de plus en plus une spécialisation de l'espace par la sectorisation, le «zoning», et il y a aussi une spécialisation de la création. L'un des plus grands dangers de l'espace public serait l'apparition soudaine – et si je le dis, c'est qu'on l'a constaté en France à propos du «1%» – d'artistes spécialisés considérant qu'il y a une différence entre, d'une part, une production faite pour la galerie ou le musée et, d'autre part, une production d'espace public qui, pourquoi pas, au bout d'un certain temps, ne serait plus qu'une production destinée à l'espace public. Ce serait une production spécialisée qui, d'une certaine manière, abolirait et oublierait ce qu'il peut y avoir de gratuit et de fonctionnel dans la création artistique.

Le problème de la démocratie c'est, au fond, de programmer la vacance. Comment le pouvoir peut-il programmer le contre-pouvoir? Comment le faire sinon en instituant un régime de démocratie directe, qui me paraît personnellement plus dangereux? Il y a là, encore une fois, une difficulté de fonctionnement née de la tentation de demander à l'usager quel serait son projet, alors qu'on est dans des régimes de démocratie représentative où les élus sont donc représentatifs et doivent exprimer les besoins des usagers. Pourquoi les usagers arriveraient-ils à prendre en compte ce qu'est la pérennité, la temporalité lourde de la ville, alors qu'ils expriment d'abord les besoins pressants du quotidien? Pourquoi sauraient-ils prendre en compte la multifonctionnalité, l'évolutivité, les changements qui sont ceux de l'histoire d'un lieu?

Je crois que dans le domaine de la création, il faut opter définitivement, fermement, pour une politique des auteurs, au sens où Renoir parlait du cinéma d'auteur. D'une certaine manière, on a avec le cinéma américain dominant un cinéma qui répond très exactement à une politique de la demande et de l'étude de ce que veulent les usagers. D'autres cinémas, ceux du Canada, de l'Europe, de l'Extrême-Orient et, bien sûr, des États-Unis, sont des cinémas d'auteur fondés sur la notion de l'offre. Aujourd'hui, il faut faire en sorte que s'exprime – dans une altérité qui respecte l'autre en demeurant soi-même, dans une altérité soucieuse de ce qu'il y a de contrainte, d'utilité, de nécessité, de fonctionnement dans un aménagement urbain – la singularité d'une création, la gratuité, en faisant le pari que de toutes façons, dans cette recherche illusoire de la représentativité, il y aurait chez le créateur, dans sa singularité même, ce qu'il y a de plus proche de l'universel.

Je conclurai en remerciant nos amis de Montréal pour leur accueil chaleureux. Je connais, en tant que délégué aux Arts plastiques du ministère de la Culture, maintes villes françaises qui ont une politique et des aspirations en matière d'arts plastiques. Je n'en connais aucune qui, à l'instar de Montréal, nourrit des débats aussi passionnés sur la nature de l'espace public et des interventions d'artistes. Si je ne partage pas tel ou tel jugement sur certaines réalisations et crois que nous devons davantage insister sur la notion d'auteur et sans doute relativiser la notion d'usage, je n'en pense pas moins que ce colloque a été exemplaire. Ce passage à Montréal, bien que trop court, s'est révélé pour nous très enrichissant. Nous y avons beaucoup appris et nous en sommes vivement reconnaissants.

Georges Adamczyk

Professeur au Département de design de l'Université du Québec à Montréal, Georges Adamczyk enseigne le projet urbain dans le cadre du programme de Design de l'environnement. Il est directeur du Centre de design de l'UQAM.

François Barré

Président du Centre national d'art et de culture Georges-Pompidou, à Paris, et président du cercle de qualité d'Euralille, François Barré a occupé de nombreux postes reliés à l'administration des arts et de la culture en France. En 1992, il était délégué aux Arts plastiques, au sein du ministère de la Culture. Antérieurement, il fut, entre autres, président de la Grande Halle de la Villette (1981–1990), fondateur et directeur avec François Mathey du Centre de Création Industrielle (CCI) (1968–1976). Diplômé de l'Institut d'études politiques de Paris et ancien élève de l'École nationale d'administration, il est commandeur des Arts et Lettres.

Daniel Buren

Sculpteur établi à Paris, Daniel Buren vit et travaille in situ.

Jean-Marc Bustamante

Plasticien, Jean-Marc Bustamante vit à Paris et a exposé dans de nombreuses villes européennes. Il était un des cinq candidats sélectionnés dans le cadre de la consultation portant sur l'aménagement de la place d'Youville à Montréal, organisée par l'Association Française d'Action Artistique (AFAA) – Ministère des Affaires étrangères, au titre de la contribution de la France au 350e anniversaire de la ville de Montréal. De 1983 à 1987, il a travaillé en collaboration avec Bernard Bazile sous le nom de Bazile Bustamante.

Aurèle Cardinal

Architecte et urbaniste, Aurèle Cardinal dirige depuis quinze ans un important cabinet d'architectes, de designers urbains et d'architectes du paysage, tout en enseignant à l'Institut d'urbanisme de l'Université de Montréal. Avec son équipe, il a participé à de nombreux concours. Suite à une consultation restreinte et internationale, il a été nommé chef de l'équipe de design d'une opération d'envergure, le réaménagement du Vieux-Port de Montréal.

Melvin Charney

Artiste et architecte, Melvin Charney est connu pour ses dessins, souvent exposés et faisant partie de la collection de nombreux musées, ainsi que pour la réalisation d'une série d'œuvres d'art public, notamment le jardin du Centre Canadien d'Architecture (1990) et l'Œuvre environnementale de la place Berri (1992) à Montréal. Au début des années 1990, il a réalisé plusieurs études de réaménagement urbain pour la Ville de Montréal. Professeur à l'École d'architecture de l'Université de Montréal, il y dirigea l'Unité d'architecture urbaine entre 1975 et 1990.

196

Hugues Desrosiers

Architecte et urbaniste, Hugues Desrosiers a occupé le poste de directeur du Service des projets spéciaux de la Société immobilière du patrimoine architectural (SIMPA). À ce titre, il a été étroitement associé à l'organisation de la contribution de la France au 350ᵉ anniversaire de la ville de Montréal.

Robert Fortin

Œuvrant au ministère de la Culture et des Communications depuis 1984, Robert Fortin est directeur général de la Direction générale de l'Ouest du Québec. En 1992, il était directeur de la Direction de Montréal et, à ce titre, avait sous sa responsabilité la Direction du patrimoine ainsi que celle des Arts et des Lettres.

Pierre Granche

*Formé à l'École des beaux-arts de Montréal, Pierre Granche est titu-
laire d'un diplôme d'études approfondies en sculpture de
l'Université de Paris-Vincennes. Il partage actuellement son temps
entre l'enseignement à l'Université de Montréal et la pratique de son
art. Au Québec, il est l'un des rares sculpteurs ayant régulièrement
œuvré avec des architectes du paysage, architectes et urbanistes.
Ses travaux ont fait l'objet de nombreux comptes rendus dans les journaux et diverses revues spécialisées.*

Michel Herrou

*Vivant et travaillant à Paris, Michel Herrou était chargé de mission à
la Délégation interministérielle à la Ville.*

Jacques Hondelatte

*Architecte, Jacques Hondelatte vit et travaille à Bordeaux. Il était l'un
des cinq candidats sélectionnés dans le cadre de la consultation portant sur l'aménagement de la place d'Youville à Montréal, organisée
par l'Association Française d'Action Artistique (AFAA) – Ministère
des Affaires étrangères, au titre de la contribution de la France au
350e anniversaire de la ville de Montréal. Créée en 1978, son
agence a été chargée de la réalisation de nombreux projets d'architecture, plusieurs commandes étant issues de concours publics.*

197

Yann Kersalé

Artiste établi à Paris, Yann Kersalé est né le 17 février 1955.

Perla Korosec-Serfaty

*Après une carrière dans l'enseignement et la recherche en France, à
l'Université Louis-Pasteur de Strasbourg, qui l'a conduite à occuper
des postes de professeure invitée en Suède, aux États-Unis et au
Canada, la sociologue Perla Korosec-Serfaty exerce aujourd'hui des
fonctions de direction au sein de l'administration de la Ville de Montréal.*

André Lavallée

Concerné par les questions d'habitation et d'aménagement urbain, André Lavallée s'est engagé en politique après avoir été organisateur communautaire dans plusieurs quartiers de Montréal. Élu conseiller municipal du district de Bourbonnière pour la première fois en 1986, il était en 1992 membre du Comité exécutif de la Ville de Montréal, responsable des interventions municipales en matière d'aménagement urbain, de zonage, de circulation et de développement communautaire. Réélu en 1994, il est chef de l'opposition officielle à l'hôtel de ville de Montréal.

Francyne Lord

Commissaire à l'art public à la Ville de Montréal depuis 1989, Francyne Lord est diplômée en Études des arts de l'Université du Québec à Montréal. Antérieurement, elle avait été agent pour différents ministères, s'occupant d'abord de questions patrimoniales et, par la suite, des arts dans leurs rapports à l'architecture et à la ville.

Claude-Odile Maillard

198

Ancienne élève de l'École nationale d'Administration, Claude-Odile Maillard a eu la responsabilité de la maîtrise d'ouvrage des projets de Jacques Hondelatte retenus après concours pour le réaménagement d'une partie de la ville. Adjointe au maire de Niort, elle était chargée des questions d'urbanisme et d'aménagement urbain.

Dominique Perrault

Architecte et urbaniste, Dominique Perrault vit et travaille dans la capitale française, où il a créé son agence en 1981. Parmi ses nombreuses réalisations, la plus connue est sans conteste la Bibliothèque de France à Paris, une commande obtenue suite à un concours international. En 1992, il était l'un des cinq candidats sélectionnés dans le cadre de la consultation portant sur l'aménagement de la place d'Youville à Montréal, organisée par l'Association Française d'Action Artistique (AFAA) – Ministère des Affaires étrangères, au titre de la contribution de la France au 350 e anniversaire de la ville de Montréal.

Philippe Poullaouec-Gonidec

Plasticien, architecte du paysage (ASLA) et professeur, Philippe Poullaouec-Gonidec est directeur de l'École d'architecture du paysage de l'Université de Montréal. Engagé dans plusieurs projets d'aménagement public, il est co-concepteur de la place Berri à Montréal. À titre de professeur et de conférencier, il est régulièrement invité au DEA (Diplôme d'études approfondies) «Jardins, paysages et territoires» de l'École d'architecture de Paris-La Villette et de l'École des Hautes Études en Sciences sociales (France).

Jacques Rousseau

Architecte, Jacques Rousseau est professeur invité au Département de design de l'UQAM depuis 1982. Il a aussi enseigné à l'école d'architecture de l'Université Carleton à Ottawa et au Graduate School of Design de l'Université Harvard, à Cambridge, aux États-Unis. Depuis plus de dix ans, il élabore un travail de recherche et d'application dans les domaines urbain et architectural. Plusieurs œuvres architecturales qu'il a conçues et réalisées ont été exposées et publiées au pays et à l'étranger.

199

François Roche

Né en 1961, l'architecte François Roche était associé à son jeune confrère Édouard François. L'agence Roche & François a remporté la consultation portant sur l'aménagement de la place d'Youville à Montréal, organisée par l'Association Française d'Action Artistique (AFAA) – Ministère des Affaires étrangères, au titre de la contribution de la France au 350e anniversaire de la ville de Montréal.

Richard Rotkopf

Initiateur de la commande publique «Hommage à Champollion», confiée à l'artiste Joseph Kosuth, Richard Rotkopf est conseiller pour les arts plastiques du maire de Figeac et président du Centre lotois d'Art contemporain de Figeac (Lot). Il a organisé de nombreuses expositions d'art contemporain dont «Amériques» en 1992, qui rassemblait à Figeac plusieurs artistes, dont trois Québécois : Raymonde April, Claude Mongrain et Michèle Waquant.

Philippe Starck

Architecte-designer de réputation internationale établi à Paris, Philippe Starck était un des cinq candidats sélectionnés dans le cadre de la consultation portant sur l'aménagement de la place d'Youville à Montréal, organisée par l'Association Française d'Action Artistique (AFAA) – Ministère des Affaires étrangères, au titre de la contribution de la France au 350ᵉ anniversaire de la ville de Montréal.

Hubert Tonka

Ayant étudié dans les domaines de l'architecture, des sciences sociales et de la philosophie, Hubert Tonka a enseigné dans de nombreuses universités et écoles d'architecture en France. Éditeur, il a créé avec Jean-Marie Sens une maison d'édition d'art et de littérature, Sens & Tonka, éditeurs.

200

France Vanlaethem

Architecte diplômée de l'École d'architecture et des arts visuels de La Cambre-Bruxelles, France Vanlaethem est professeur au Département de design de l'Université du Québec à Montréal. Active dans la diffusion et la critique de l'architecture et du design à titre de directrice-fondatrice du Centre de design de l'UQAM (1981–1986) et de rédactrice en chef de la revue Architecture-Québec (1990–1993), elle a été, à Montréal, la commissaire de l'exposition «350, place d'Youville» et la responsable du colloque «La place publique dans la ville contemporaine», éléments de la contribution de la France au 350 e anniversaire de la ville de Montréal.

Crédits photographiques

Philippe Poullaouec-Gonidec **page couverture**

Emmanuel Carlier **page couverture**

Jean-Noël Vinter p. 49

Bruno Debard, Ville de Niort p. 92-93 *(Fig. 1 à 4)*

Philippe Poullaouec-Gonidec p. 101

Pierre Granche p. 129 *(Fig. 1)*

Michel Gascon p. 129 *(Fig. 2)*

J. Richards p. 133 *(Fig. 3)*

Pierre Granche p. 133-134 *(Fig. 4 et 5)*

Dessin de François Roche p. 143 *(Fig. 1)*

Gaston p. 143 *(Fig. 2)*

dessin de Patricia Ascot p. 144-145 *(Fig. 3 et 4)*

p. 145 *(Fig. 5)* maquette de David Toppani.

p. 145 *(Fig. 5)* photographie de Masto

p. 146 *(Fig. 6)* François Roche

p. 147 Robert Etcheverry

p. 151-154, *(Fig. 1 à 4)*, p. 158 *(Fig. 6)* Michel Denancé

p. 155 *(Fig. 5)* Studio Littré

p. 166 *(Fig. 1)* Melvin Charney

p. 167 *(Fig. 2)* Robert Burley

p. 168 *(Fig. 3)* Carlos Letona, CCA